Les bûchers de la liberté

Anastasia Colosimo

Les bûchers
de la liberté

Stock

Couverture Coco bel œil
Illustration : © Getty Images

ISBN 978-2-234-08050-8

À Mamoune

SOMMAIRE

De Salman Rushdie à *Charlie Hebdo*, le blasphème est devenu l'enjeu d'une crise planétaire. Dans le monde musulman, son interdiction est un outil redoutable de répression des minorités au niveau national et d'accélération du choc des civilisations au niveau international. À ce défi, l'Europe prétend répondre par la liberté d'expression – bien que la majorité des pays occidentaux continue à condamner le blasphème, lu non comme une offense à Dieu mais aux croyants.

Le blasphème est, depuis ses origines, un concept politique qui n'intéresse le religieux que marginalement. Jérusalem, Athènes, Rome, les morts fondatrices de Socrate et de Jésus-Christ, tous deux condamnés à la peine capitale, le premier pour impiété, le second pour blasphème, ainsi que la Torah, l'Évangile et le Coran témoignent que l'histoire de l'interdiction du blasphème est avant tout celle de sa fonction politique, qui est d'éliminer celui qui nuit à l'unité de la communauté.

III. Une passion française

La France, si attachée à la liberté d'expression, à la séparation de l'Église et de l'État et à sa vocation universelle s'est prise au piège avec la loi Pleven en 1972, qui vise à protéger des groupes et des communautés selon leurs appartenances. Louable intention, conséquences désastreuses. Ce péché originel a entraîné une multiplication des procès en blasphème, de l'affaire Houellebecq à l'affaire *Charlie Hebdo*, et une inflation spectaculaire des lois dites « mémorielles ». D'où le présent malaise qui étrangle la laïcité.

Avant-propos

11 septembre 2001. À New York deux avions percutent le World Trade Center entraînant la mort de 2 977 personnes. J'ai onze ans. L'incompréhension originelle muera en volonté de comprendre : études de philosophie, puis de droit et de criminologie avec pour horizon la théologie politique, matière malheureusement méconnue, mais fondamentale pour appréhender la question du retour du religieux.

7 janvier 2015. Vers midi atterrit sur mon portable une notification du *Monde* annonçant que des coups de feu ont retenti rue Nicolas-Appert dans le XIe arrondissement de Paris. Trois ans de recherches sur le blasphème au sein de l'École doctorale de Sciences Po Paris chavirent. J'y ai soutenu mon mémoire en 2013 sous le titre « La religion fait-elle la loi ? Métamorphoses du blasphème ». J'y écris ma thèse qui a pour titre « Juger de la religion ? Droit, politique et liberté face au blasphème en démocratie ».

La confusion idéologique qui a suivi m'a convaincue de la nécessité d'expliquer pourquoi et comment le retour de Dieu est avant tout un retour de César. Pourquoi et comment l'interdiction du blasphème, depuis ses origines, est un outil politique redoutable qui n'intéresse que marginalement le religieux. Pourquoi et comment l'Occident n'est pas plus épargné que l'Orient par le retour du blasphème.

À ceux qui posent, même naïvement, la question de savoir si les caricaturistes de *Charlie Hebdo* ne sont pas allés trop loin, je répondrai volontiers qu'ils ont déjà cédé à une forme de terreur, au moins de manière inconsciente. Non, les caricaturistes de *Charlie Hebdo* ne sont pas allés trop loin. À ceux qui posent, même intelligemment, la question de savoir s'il faut faire taire à tout prix ceux qui pensent que les caricaturistes de *Charlie Hebdo* ont mérité ce qui leur est arrivé, je répondrais volontiers qu'ils ont déjà abdiqué face au défi démocratique qui veut que même les ennemis de la liberté aient droit à la parole.

Les nouveaux actes de barbarie qui ont ensanglanté et endeuillé Paris le vendredi 13 novembre 2015, dix mois à peine après le choc de *Charlie Hebdo*, n'ont fait qu'amplifier l'urgence dans laquelle nous sommes de ne pas consentir à la peur, de ne pas continuer la prétendue guerre des civilisations que l'on veut nous imposer en fatalité d'une nouvelle guerre civile de religions. Autrement dit, à distinguer la raison de l'émotion. À nous de garder l'esprit libre.

Cet essai est, espérons que l'on s'en convaincra en le lisant, un plaidoyer pour une liberté d'expression qui, si elle ne peut jamais être totale, mérite toujours d'être réelle. Se donner la liberté de dire le monde, c'est se donner la liberté de le comprendre.

Après le jour d'après

Renouer avec l'histoire, retrouver la laïcité, les Lumières, l'Europe, redécouvrir la fraternité, la communion, refaire nation : les tragiques journées du 7 janvier au 14 janvier 2015 auront conduit des millions de Français à descendre dans la rue pour revendiquer ce qu'ils pensent être leur part d'universalité. Dans un tourbillon de tweets, hashtags, photos, mots, ex-voto, unes de journaux, annonces de radio et images de chaînes info, le gouvernement et l'opposition, suivis par la justice, la police, la presse, ou encore l'État et l'Église, escortés de la synagogue, de la mosquée, de l'université, auront connu un élan de religiosité civile fait pour exorciser la terreur aveugle et le sang versé sans que l'on puisse décider, depuis, s'il s'est agi des prémices d'une résurrection ou des convulsions d'une agonie.

Certes, la légende dira que, à l'aube du XXIe siècle, la France, fidèle à elle-même, a su se réinventer aux yeux du reste du monde. Que, à l'heure de la mondialisation, l'humanité consciente s'est levée unanime pour dénoncer un massacre ignoble commis au nom d'un Dieu usurpé. Que, au tournant du IIIᵉ millénaire, les blasphémateurs que l'on martyrisait jadis en place publique sont devenus des martyrs de la liberté. Que, d'un coup, l'univers entier a été sommé de définitivement reconnaître dans la liberté d'expression l'une de ses valeurs fondamentales. Mais ces affirmations peuvent s'entendre également comme autant de dénégations retournées.

L'effroi exponentiel qui a dominé ces quelques journées de vertige sous la révélation brutale de l'impuissance publique a traduit une fragilité plus essentielle : celle des démocraties à se définir face au mal radical, c'est-à-dire à désigner l'ennemi et à le combattre sans y perdre leur légitimité. Aussi, sous les apparences d'un réveil de la morale laïque, d'une politique du droit, d'une mystique de l'unité, l'événement a-t-il été d'emblée, et de bout en bout, idéologique. Aussi la France, frappée d'une crise d'identité sans précédent, s'est-elle trouvée dans les faits sociologiquement divisée, politiquement instrumentalisée et philosophiquement contrariée. Aussi ne savons-nous pas plus ce que blasphème veut dire après cette tragédie qu'avant d'y être entré.

L'esprit du 11 janvier, ou ce qui fut célébré comme tel, ne portait-il pas en lui une volonté si naïve de transcender les contradictions de la mondialisation que le manichéisme ambiant en est ressorti plus aigu que jamais ? Quels paradigmes purent sembler valables à ce moment-là pour comprendre ce qui s'était passé rue Nicolas-Appert et avenue de la Porte-de-Vincennes et ne sont pas apparus infirmés depuis ? Combien de temps a-t-il fallu pour que les symboles de l'engagement progressiste tels que humanisme contre barbarie, démocratie contre théocratie, tolérance contre racisme s'inversent en figures de l'inimitié comme riche contre pauvre, natif contre immigré, ou encore juif contre arabe ? Pour qu'Orient et Occident, religion et laïcité, islam et modernité soient, entre autres antinomies, réarmés ? Aucune des représentations censées former un rempart infranchissable face à l'irruption de la terreur n'a tardé à s'effriter et à révéler qu'elle reposait sur un état préalable de grande confusion.

Rude a été le jour d'après : une fois les bonnes résolutions dissipées, il est demeuré des polémiques byzantines sur le licite et l'illicite dans l'ordre de la parole et de l'expression publique. Mais il est vrai qu'à se heurter à la résurgence de violents archaïsmes tout en s'efforçant de gagner des hauteurs spéculatives dignes d'autrefois, la pensée politique contemporaine reprend vite, sans toujours le savoir, un tour théologique.

I

Une crise planétaire

1. Esprit es-tu là ?

Le 11 janvier à l'envers

Des jours, des semaines, des mois plus tard, une fois l'émotion retombée, que reste-t-il de cette certitude aussi spectaculaire qu'instantanée qui était censée rester comme l'esprit du 11 janvier ? Rien ou peu. À bien y regarder, un questionnement lancinant sur le prix de la sécurité, difficile à fixer, et le paradoxe du blasphème, impossible à régler. Au temps pour l'unité ! Au temps pour la laïcité ! Au temps pour la République ! Les événements de janvier livrent peu à peu un message inverse à celui dans lequel les Français ont cru, ou voulu croire, et auraient sans doute aimé continuer de croire.

Rappelons-nous. Oui, la ferveur de ces journées est dans l'instant saisissante, avec ce qu'il y faut d'ingénuité feinte et de sincérité recherchée, de *La Marseillaise* chantée à l'unisson par les parlementaires au Palais-Bourbon aux embrassades fraternelles d'anciens soixante-huitards avec les CRS sur les trottoirs du boulevard Voltaire. Un même motif parcourt et anime ce soulèvement : faire front contre le fanatisme qui se prévaut d'instructions divines pour distiller la mort. Pour autant, s'il y a un moment où s'impose le retour du religieux, c'est bien au sein de cette revitalisation présumée de l'agnosticisme. Car la fracture est d'abord dans le peuple. Elle affecte la représentation effective de l'union sacrée qui est dans les esprits. Les imams, les intellectuels, les artistes et les simples citoyens de confession ou de culture musulmane ont manifesté, sous mille et une formes, leur rejet de la barbarie, mais sans marquer de leur présence la manifestation du 11 janvier. L'islam apparaît définitivement comme une question à part entière, majeure et cruciale : alors que le gouvernement, afin de lutter légitimement contre la tentation de l'« amalgame », finit par créer une sorte de novlangue, l'opinion prend ses distances avec le déterminisme social comme seule explication d'un malaise manifestement symbolique. Dans le même temps, s'impose à la conscience collective le risque, à l'échelle nationale, d'un décrochage du judaïsme et d'une communautarisation du catholicisme.

Par effet de ricochet, se dissout le front uni des religions, alors qu'elles se sont montrées propices au blasphème le temps d'un anathème contre leurs doubles intégristes. Mais c'est l'État qui, sous couvert d'irénisme, offre l'illustration la plus spectaculaire de la contradiction ambiante. Son chef, campant du même coup au chef de guerre en vertu des institutions, outrepasse cette fois la sacralisation de la désacralisation du pouvoir qui lui sert de méthode de gouvernement depuis son élection. La manifestation annoncée comme fondamentalement « républicaine » du 11 janvier commence avec l'image de François Hollande cheminant derrière Dalil Boubakeur, le recteur de la Grande Mosquée de Paris, délibérément placé en tête du cortège, et se conclut sur l'image du même François Hollande, coiffé d'une kippa guère plus protocolaire, entrant derrière Benjamin Netanyahou dans la Grande Synagogue de Paris.

Par effet de ricochet également, la gauche se déchire, bute sur l'ambivalence du progressisme qu'elle est censée promouvoir, et signale à sa façon le caractère fictif de l'unanimisme affiché. Au sein de la gauche Charlie, Caroline Fourest fait l'*Éloge du blasphème* afin d'opposer la gauche laïciste à la gauche communautariste là où Edwy Plenel se veut *Pour les musulmans* afin de dresser la gauche militante contre la gauche gouvernementale. À l'autre gauche, historique et réticente à l'enthousiasme général, qui se demande *Qui est Charlie ?*, Emmanuel Todd répond en cartographiant une crise religieuse inconsciente, mais qui traverserait de part en part une sorte de France zombie : les marches républicaines pour la liberté cacheraient un mouvement

21

identitaire de rejet ; un tréfonds catholique se dresserait contre l'émergence musulmane ; une islamophobie et un antisémitisme moins concurrents que convergents en seraient les moteurs. Or, si Fourest, Plenel et Todd divergent en propos, tous trois confirment en librairie, chacun à sa façon, que l'enjeu du moment serait la question de l'altérité, en l'occurrence musulmane, et de son traitement que surdéterminerait la réapparition du blasphème.

Cette question domine également, mais à fronts renversés, l'autre bout du spectre. À rebours du soutien que la gauche traditionnelle apporte à *Charlie Hebdo*, l'extrême gauche se sent autorisée à accuser le journal de dérive raciste. Dans une tribune postée le 25 janvier, Houria Bouteldja, la porte-parole du Parti des Indigènes de la République dénonce la manifestation du 11 janvier et fustige la trahison de ceux qui auraient « communié dans la ferveur nationale avec l'Otan, Israël, des dirigeants de l'Europe libérale et impérialiste », avant de prévenir : « Pour notre part, nous continuerons à lutter contre l'islamophobie, pour l'égalité des droits des musulmans et à défendre l'espace du sacré. » Ce faisant, elle réitère la ligne de son mouvement qui, déjà en 2011 et sous la plume de Youssef Boussoumah, accusait l'hebdomadaire d'être « sioniste et ami des puissants » et concluait : « *Charlie Hebdo* pourra bientôt se partager les chèques de soutien de *Radio J* avec Tsahal tout en criant "Vite Marine !" » Symptomatique chassé-croisé : alors que, précisément si l'on suit les déclarations du Front national, pour l'extrême droite être Charlie équivaut à nier l'identité française dans ce qu'elle a de meilleur, pour l'extrême gauche être Charlie revient à affirmer l'identité française dans ce qu'elle a de pire ; d'où le fait que la première condamne les islamistes et se désolidarise de l'hebdomadaire, tandis que la seconde se solidarise avec les islamistes et condamne l'hebdomadaire.

Ainsi, sur le territoire national, en raison d'une longue suite de négligences aggravée par l'impotence langagière que professe le gouvernement, un conflit d'ordre planétaire va être réinterprété comme l'aboutissement d'une islamophobie dont *Charlie Hebdo* aurait été un des véhicules les plus constants et les plus acharnés ! Pour autant, en miroir de cette islamophobie à laquelle s'abandonnerait la France mais dont la configuration et l'intensité demeurent sociologiquement floues, se cristallise plus sûrement un antisémitisme d'un type nouveau, issu des prêches intégristes en banlieues. Or, pour être simultanés, ces phénomènes ne sont ni égaux ni convergents puisque l'identité des victimes suffit à distinguer l'un de l'autre et que, des deux, le second s'avère politiquement le plus préoccupant, en raison de la conjonction entre l'antisionisme de l'extrême gauche et la judéophobie de l'islam radical.

La France seule

Tandis qu'elle s'enfonce dans les marécages de son inconscient révolutionnaire, la France se trouve toujours plus esseulée au plan international. Le 12 janvier, dans le sillage des déclarations du Saint-Siège en défense de la liberté d'expression, la revue jésuite *Études* publie, en illustration d'un éditorial intitulé « Nous sommes Charlie », quatre dessins du pape parmi les plus corrosifs : « Nous avons fait le choix de mettre en ligne quelques caricatures de *Charlie Hebdo* qui se rapportent au catholicisme. C'est un signe de force que de pouvoir rire de certains traits de l'institution à laquelle nous appartenons, car c'est une manière de dire que ce à quoi nous sommes attachés est au-delà des formes toujours transitoires et imparfaites », puis plus loin : « L'humour dans la foi est un bon antidote au fanatisme et à un esprit de sérieux ayant tendance à tout prendre au pied de la lettre. » Le 15 janvier, aux Philippines, le pape François affirme que le droit et le devoir de parole, pour être essentiel, « connaît cependant des limites ». Lesquelles ? « On ne peut provoquer, on ne peut insulter la foi des autres, on ne peut la tourner en dérision. » D'où l'exemple pour le moins percutant : « Si un grand ami dit du mal de ma mère, il doit s'attendre à recevoir un coup de poing. » Dans la journée, la revue *Études* retire son article en faveur de *Charlie Hebdo* en considérant que sa « réaction à chaud », le jour du drame, aurait sans doute nécessité plus d'explications : « Le retentissement de ces événements a jeté le trouble sur ce qui nous semblait aller de soi. Et cela nous attriste. Voulant mettre fin aux polémiques, nous avons décidé de retirer l'accès à la page qui les a fait naître. »

C'est ensuite de manière planétaire que les réactions à froid suivent la réaction à chaud. Tandis que l'hémisphère Sud a voulu éviter l'amalgame, l'hémisphère Nord a voulu souligner la solidarité. Sur le pourtour du monde arabo-musulman, la réprobation a été unanime : pour n'évoquer que la seule Égypte, le cheikh el-Taïeb, le recteur d'al-Azhar, la principale autorité de l'islam sunnite, a condamné une « attaque criminelle contraire à l'islam » et, tandis que le général al-Sissi s'est déclaré comme attendu « aux côtés de la France face au terrorisme », le journal cairote *Al-Masri Al Youm* s'est autorisé à publier quelques-unes des caricatures incriminées. Pour ce qui est de l'Amérique, à Washington, le secrétaire d'État John Kerry est intervenu en français pour élever les journalistes assassinés au rang de « martyrs de la liberté » et, à Hollywood, les stars ont tweeté #JeSuisCharlie tandis que lors de la remise des Golden Globes George Clooney et Jared Leto ont clamé haut et fort leur amitié dans la langue de Molière.

Rien de tout cela n'est cependant fait pour durer et partout on entend rapidement s'écarter de l'exception française. Ce qui ne tarde pas à arriver. Dans l'hémisphère Sud, le front de solidarité érigé par les États au cœur des attentats ne tarde pas à se fissurer sous la revanche des activismes. Les paroles officielles cèdent devant les emportements populaires. De Grozny à Gaza, de l'Afghanistan au Niger, les actes de violence antifrançaise se multiplient, lourds de menaces volontiers présentées sur un ton apocalyptique. Le 19 janvier, lors du

70ᵉ anniversaire de l'Agence France-Presse, François Hollande déclare, en une formule paradoxale, que la France « n'insulte personne » et « ne fait pas de leçon, à aucun pays », mais que « le drapeau français, c'est toujours celui de la liberté ». La vérité de cette universalité aussi paisible que détachée est que, en moins d'une semaine, elle s'est retrouvée plus que contrariée, en fait rejetée et isolée.

Ce qui se vérifie dans l'autre hémisphère. Aux États-Unis, dont la Constitution dispose au premier amendement que le « Congrès ne fera aucune loi pour limiter la liberté d'expression », une grande partie des médias, de l'agence Associated Press à la chaîne CNN, en passant par le *New York Times* ou NBC News, choisissent de ne montrer aucune des caricatures litigieuses dont se sont justifiés les tueurs djihadistes. Au Royaume-Uni, Caroline Fourest est censurée sur la chaîne Sky News alors qu'elle veut montrer la une de *Charlie Hebdo* du 14 janvier 2015, la présentatrice déclarant à la reprise de l'antenne : « Nous nous excusons envers tous nos téléspectateurs qui auraient pu être offensés. » De manière générale, le monde anglo-saxon perçoit comme une provocation la publication de ce numéro 1178, dit « des survivants », qui porte en titre « Tout est pardonné » et qui affiche un Mahomet portraituré la larme à l'œil, avec à la main un écriteau proclamant « Je suis Charlie ».

Pire encore lorsque en mars 2015, le Pen Club américain envisage de décerner le Freedom of Expression Courage Award, « le prix du courage de la liberté d'expression » à *Charlie Hebdo*, six auteurs membres lancent un appel au boycott de la cérémonie de gala sur le site *The Intercept*, bientôt signé par plus de deux cents écrivains, dont Russell Banks, Joyce Carol Oates, Peter Carey, Junot Diaz, Michael Ondaatje, ou encore Eliot Weinberger, le traducteur d'Octavio Paz et de Pablo Neruda, qui accusent l'hebdomadaire satirique d'avoir causé « une humiliation et une souffrance accrues » à cette population française « musulmane et en grande partie musulmane pratiquante » alors qu'elle est déjà « sujette à la marginalisation et victime d'ostracisme ». Tant pis donc si la France est seule, ou presque, à comprendre pour ce qu'il est l'idéal de liberté autour duquel elle entend rassembler le reste du monde.

La déchirure nationale

Ultime inversion, les journalistes de *Charlie Hebdo*, morts pour n'avoir pas renoncé à caricaturer qui bon leur semblait et comme bon leur semblait, se trouvent d'un coup placés au panthéon des valeurs républicaines, promus martyrs de la liberté pendants aux martyrs du djihad. Effet de balancier, c'est au nom de cette même liberté d'expression comprise comme inconditionnelle au prix du sang que l'État, en France, va en restreindre le champ d'application juridique. Le 12 janvier, Christiane Taubira, la garde des Sceaux, fait parvenir à l'ensemble des procureurs une circulaire leur demandant sévérité et fermeté dans les affaires d'apologie d'actes terroristes. Les juges obtempèrent et, là où ils se contentaient d'infliger des amendes ou de la prison avec sursis, ils vont dorénavant prononcer des peines de prison ferme. Selon le décompte de la Chancellerie, dès le mercredi 14 janvier à la mi-journée, soixante-neuf procédures judiciaires pour apologie et menaces d'actions terroristes sont ouvertes. Leur chiffre sera en constante augmentation. Pour s'être déclaré le 11 janvier « Charlie Coulibaly » Dieudonné, habitué des prétoires, des procès et des condamnations, est condamné, le 4 février, à une peine de trente mille euros d'amende qui, si elle n'est pas acquittée, peut se transformer en emprisonnement. Les insultes contre la France pleuvent sur Internet où l'on accuse le législateur, le gouvernement et l'opinion de s'adonner à une logique de « deux poids deux mesures », le principe de liberté d'expression n'étant bon qu'« à protéger les blasphémateurs de *Charlie Hebdo* et les juifs ».

L'esprit du 11 janvier n'aurait-il été que celui de la confusion, par-delà le contre-signal et le triste spectacle qu'auront livré, deux mois à peine après les attentats, les aigres disputes des salariés de *Charlie Hebdo* ? Les Français ont naturellement espéré que leur rassemblement pourrait les exonérer de l'épreuve de l'Histoire. L'unité qu'ils ont affichée n'était pas factice, mais votive. Derrière le spectacle de l'harmonie, qui avait une fonction conjuratoire, on a vu se profiler une rupture autrement plus inquiétante. L'instrumentalisation de la terreur a servi à réunir des ennemis et à diviser des alliés. Or ce renversement paradoxal s'est réalisé autour d'une notion aussi incertaine et inflammable que le blasphème. Son irruption dans une France devenue ignorante du fait religieux n'a fait qu'aggraver un malaise plus profond, dont on a voulu croire qu'une judiciarisation renforcée et une moralisation accrue suffiraient à le résoudre.

L'assignation primaire et réductrice du mot à la chose, de l'intention au fait, du symbole à la réalité à laquelle appellent les djihadistes et qu'il faudrait démentir est précisément celle qu'ont fini par endosser la France, ses élites et ses gouvernants, dans la suite de l'attentat contre *Charlie Hebdo*. C'est probablement sous le coup de l'émotion qu'il faut interpréter l'annonce, le 12 janvier, par Christophe Deloire, le secrétaire général de Reporters sans frontières (RSF), d'une charte sur « le droit au blasphème » que seraient censés signer les chefs religieux, l'absurdité logique et la confusion historique que signale cette proposition contrevenant de surcroît à l'idéal de liberté qu'elle prétend défendre. C'est certainement sous le coup de l'urgence qu'il faut placer la déclaration, le 16 janvier, de François Hollande, bientôt relayé par Manuel Valls, visant à instaurer une pénalisation des propos antisémites et racistes que devrait voter à terme le Parlement. La transformation de la loi sur la presse de 1881 et la mutation de société qu'entraînerait une telle réforme, dont la fin contredit les moyens, n'ont visiblement pas été pensées.

Où en sont la liberté d'expression et l'exercice de la liberté d'expression pour lesquels seraient morts les journalistes de *Charlie Hebdo* ? Que dire de l'invocation croissante sur le Vieux Continent, à gauche comme à droite, d'une « guerre de civilisation » qui paraît tout droit sortie du Nouveau Monde ? Qu'en est-il de la polarisation de la vie intellectuelle autour de l'islam, ou plutôt des représentations opportunistes, positives ou négatives, que l'on s'en fait ? En quoi la terreur dispose-t-elle de nos tolérances et de nos intolérances, grimant les unes à la manière des autres à notre insu et parfois de notre plein gré, singulièrement au regard des législations d'exception qu'elle semble appeler ?

On est en droit de ne pas subir ces questions. Ou de les concevoir autrement. À tout le moins de leur supposer une plus grande profondeur que ne le commande l'actualité. Et si la cause sacrée de la lutte pour l'éradication de la notion de blasphème n'était qu'une ruse de l'Histoire, un piège de l'adversaire, un subterfuge faussement libéral et réellement autoritaire convenant à l'ennemi intérieur que finissent immanquablement par se découvrir les démocraties fictives ou faillies ? Tel est bien le fil qu'il s'agit de rechercher dans le tumulte de ce 11 janvier dont on pressent déjà, alors que survient le crépuscule et que déjà retombe la liesse, qu'il a par trop dérobé l'intelligence au sentiment ? Conviction pour conviction, cet essai est né de l'assurance que, sous les barricades d'hier, couvent les bûchers de demain.

2. Le fantôme du blasphème

1 % d'islam

Il est une inversion majeure, commune à toutes ces inversions de circonstance et sans laquelle il n'aurait pu y avoir de passage au mythe collectif : les victimes de l'attentat contre *Charlie Hebdo* qui se décrivaient volontiers de leur vivant comme des profanateurs ont été sacralisées après leur mort, non seulement héroïsées mais aussi en quelque façon sanctifiées. La duplication qui s'est ensuivie de cette réelle tragédie, calquée sur les principes d'action parmi les plus impératifs qui puissent être, universalité et barbarie, liberté et obscurantisme, droit et terreur, a fait des journalistes de cet hebdomadaire satirique si français, empreint d'un esprit soixante-huitard depuis longtemps désuet et qui n'avait cessé de voir décroître son lectorat, les éclaireurs d'un combat planétaire qui se disposerait autour de la ligne de front du blasphème, ici verrou de régression, là levier d'émancipation. Cette représentation coïncide-t-elle vraiment, pour autant, avec l'histoire des engagements de *Charlie Hebdo* ?

L'analyse sur une décennie, de janvier 2005 à janvier 2015, des 523 unes de l'hebdomadaire qu'ont effectuée les sociologues Jean-François Mignot et Céline Goffette indique le contraire. Près des deux tiers d'entre elles, 336 pour être exact, relèvent de l'actualité politique tandis que 85 concernent les événements

31

économiques ou sociaux et 42 les personnalités du sport et du spectacle : soit un total de 463 couvertures pour le domaine profane. La religion, avec ses 38 unes au cours des mêmes dix années, compte donc pour 7 % de l'activité satirique. Encore faut-il décomposer ce chiffre par confession, étant entendu que 21 d'entre elles s'appliquent au christianisme et 7 à l'islam, le judaïsme n'ayant fait l'objet d'aucune couverture séparée mais se trouvant souvent associé à la caricature de l'un ou de l'autre. Ce qui signifie que, de 2005 à 2015, seulement 1,3 % des unes, soit à peine plus d'une sur cent, ont eu pour objet la religion musulmane.

À ouvrir le dossier judiciaire de l'hebdomadaire, ce n'est pas plus la question religieuse qui retient en premier lieu l'attention. Depuis sa réapparition, en 1992, *Charlie* a fait l'objet, à comparer les archives de l'AFP et les arrêts du Dalloz, de quarante-huit procès dont neuf condamnations, ce ratio pointant la libéralité française pour ce qui est des affaires de presse, à la fois dans les textes de loi et les décisions de justice. Une majorité des poursuites engagées l'ont été pour raison politique, au titre de propos considérés comme injurieux, et ont connu des issues plutôt malheureuses pour les plaignants. Parmi les procès pour insultes qui l'emportent de loin par le nombre, s'ajoutent, aux recours collectifs de type idéologique, les actions intentées à titre nominatif, parfois même par des confrères ou consœurs journalistes dont certains ne semblent pas apprécier l'« esprit Charlie » lorsqu'il s'applique à eux.

Cette primauté du monde politique et médiatique se retrouve dans la violence des manchettes qui y sont consacrées. Si elles ne valent pas toutes à *Charlie Hebdo* de comparaître devant les tribunaux, elles font le plus souvent montre d'une férocité personnelle que n'appelle aucun autre sujet, y compris religieux. L'appréciation de la verve ou de l'inélégance que manifestent ces unes reste libre. Force est de constater cependant que, sur la même période, celles à caractère religieux ne dépareillent pas des autres et, surtout, ne signalent ni une intensité ni une obstination particulières.

Des « barbus » émules des « tradis »

Il n'y a donc pas d'exception religieuse dans le traitement du journal, à tout le moins dans l'intention des caricaturistes sinon dans la perception de ceux qui, à tort ou à raison, se considèrent comme caricaturés. Or, de la même manière que les unes traitant des affaires de religion sont une minorité, les poursuites engagées par des associations confessionnelles à titre cette fois communautaire et pour offense au sentiment de croyance ne viennent qu'en second. Ce n'est pas qu'une affaire de prorata. Elles émanent d'abord, fait surprenant au regard des préjugés dominants, des franges militantes de l'intégrisme catholique, historiquement mêlées à l'extrême droite et au Front national dont elles partagent le goût pour l'intervention physique et la judiciarisation morale. Elles sont surtout le fait, autre surprise, d'une même officine activiste à l'intitulé programmatique, l'Alliance générale contre le racisme et pour le respect de l'identité française et chrétienne (AGRIF) qui, à elle seule, entre 1993 et 2008, intentera six procès contre *Charlie Hebdo*. Le détail de ces actions est important à relever au regard des résultats qu'elles ont entraînés en matière d'appréciation judiciaire.

Le 2 juin 1993, l'hebdomadaire évoque en une le pèlerinage de Chartres emmené par les groupuscules traditionalistes qui se trouve en concurrence avec la manifestation officielle promue par l'archevêché de Paris : « 100 km à pied, ça use les fumiers » annonce la légende du dessin où les marcheurs arborent des bannières à croix gammées. Condamné en première instance, l'hebdomadaire est relaxé le 1er juin 1995 par la cour d'appel de Paris au motif que « les catholiques dans leur ensemble ne peuvent se sentir visés par ce reportage qui ne croque qu'un groupe à l'intérieur d'une communauté ». Le 22 décembre 1993, *Charlie Hebdo* titre « Loi Falloux – Vive la calotte ! » et habille sa critique du projet de réforme Bayrou portant sur l'école libre de six caricatures dont l'une montre le chanteur Michael Jackson, entouré de prêtres bienveillants, se livrant à un acte de pédophilie sur l'Enfant-Jésus. Le journal est poursuivi, mais l'AGRIF est déboutée par un arrêt du 16 avril 1996 de la cour d'appel de Paris. Le 16 novembre 1994, le dessinateur Riss signe une couverture stigmatisant « les commandos anti-avortement » qui représente trois hommes urinant et déféquant sur un bénitier, un tabernacle, une croix. L'affaire est portée devant les tribunaux. En dernier ressort, la cour d'appel de Versailles tranche en faveur de la liberté d'expression, donc de *Charlie Hebdo*. Le 3 juillet 1996, à l'occasion de la visite officielle de Jean-Paul II en France, dans son éditorial titré « Bienvenue au pape de merde », qu'il traite par ailleurs de « parasite », de « profiteur » et de « menteur », Philippe Val fustige un « ordre soi-disant moral pour entretenir les consciences dans un sous-développement propice à l'acceptation de l'asservissement » ainsi qu'un « antisémitisme sournoisement doctrinal ». Parmi les posters que propose l'hebdomadaire, l'un étale divers instruments susceptibles d'être utilisés pour se débarrasser physiquement du pape, dont une guillotine, un canon, etc. C'est sur le fondement de ces représentations, non pas sur la une ou l'édito de Val, que pour la première fois le journal est condamné pour « provocation à la discrimination envers la communauté des catholiques », la qualité pour agir au nom du pape sans son accord ayant été reconnue à l'AGRIF. Le 21 janvier 1998, *Charlie Hebdo* publie une caricature représentant un prêtre en soutane qui, au cri de « le corps du Christ ! », tend à un enfant une hostie collée à son sexe en érection. Le 6 janvier 1999, le tribunal de grande instance de Paris, considérant que « cette représentation de la communion est irrévérencieuse et blessante », mais doit être replacée « dans le débat d'actualité qu'ont suscité les nombreuses allégations d'actes de pédophilie commis par des membres du clergé », se prononce en faveur du journal. Enfin, le 10 septembre 2008, *Charlie Hebdo* publie sous la plume de Philippe Val un article dont la conclusion réclame que « l'on redonne les chrétiens à bouffer aux lions ! ». La plainte déposée par l'AGRIF est portée devant les tribunaux, mais l'association sera déboutée en 2010.

Est-ce tout ? Non, le journal satirique a également connu des démêlés judiciaires avec des associations musulmanes, lesquels sont toutefois postérieurs aux actions de l'AGRIF et y trouvent leur modèle. C'est ainsi le cas de l'Association syrienne pour la liberté, de l'Association des musulmans de Meaux et sa région, du Rassemblement démocratique algérien pour la paix et le progrès, de l'Organisation arabe unie, dont les imposantes appellations déguisent mal le caractère groupusculaire, qui se portent parties plaignantes contre *Charlie Hebdo* à l'occasion de la une du 11 septembre 2012, « Intouchables 2 », laquelle montre un Mahomet dans un fauteuil roulant et un rabbin qui le pousse en beuglant « Faut pas se moquer ! ». L'hebdomadaire est relaxé. C'est encore le cas, en 2013, de la Ligue de défense judiciaire des musulmans qui assigne *Charlie Hebdo*, mais cette fois devant le tribunal correctionnel de Strasbourg dans l'espoir que la répression du délit de blasphème conservée dans les textes concordataires qui continuent de régir l'Alsace-Moselle joue en sa faveur. Peine perdue. Aussi « judiciaire » se veuille-t-elle, cette « ligue » aux membres clairsemés, en fait fondée par l'ex-avocat Karim Achoui avec l'appui de Roland Dumas et de Jacques Vergès, se voit déboutée. Ces recours n'en sont pas moins le signe de la course grandissante des codes divins à la poursuite du code civil, la propension des fondamentalismes à fréquenter les prétoires prouvant le peu de résistance des croyants qui font profession de foi militante face au « despotisme légalitaire » ambiant, pour reprendre une formule de Philippe Muray plus aiguë encore que l'« envie de pénal » qu'il dénonçait pareillement.

L'affaire des caricatures

La seule ombre, mais monumentale et retentissante, à ce tableau est à l'évidence le procès intenté en 2007 par la Grande Mosquée de Paris, l'Union des organisations islamiques de France et la Ligue islamique mondiale contre *Charlie Hebdo*, incriminant l'hebdomadaire d'avoir reproduit les caricatures de Mahomet publiées dans le journal danois *Jyllands-Posten*. La relaxe est prononcée. Elle marque toutefois un tournant tragique et annonce une crise planétaire dont, pas plus qu'elle ne concentre sa satire sur la question religieuse en général et sur l'islam en particulier, la rédaction de l'hebdomadaire française n'est à l'initiative. On peut même la qualifier en ce cas, et sans préjudice, de suiviste.

L'affaire débute en effet à Copenhague, a pour protagoniste l'éditeur du service culturel d'un grand quotidien d'information et pour déclencheur sa conception moins satirique qu'idéologique du métier de journaliste. Rompu au combat dissident par ses origines juives ukrainiennes et comme ancien correspondant à Moscou, Flemming Rose s'est rapproché des néoconservateurs lorsqu'il était en poste aux États-Unis. À l'instar du communisme soviétique, le fondamentalisme musulman est pour lui un totalitarisme ou, dans les termes de son ami Daniel Pipes, un « islamo-fascisme ». Le souci amical et éditorial dont Flemming Rose va se prévaloir dans l'affaire des caricatures se double donc d'un impératif politique ainsi qu'il l'admettra plus tard dans une tribune du *Washington Post* : « La leçon de la guerre froide est que, si vous cédez devant une exigence totalitaire, un nouveau diktat suivra. L'Ouest a gagné parce que nous avons affirmé nos valeurs fondamentales et n'avons pas cherché à ménager la tyrannie. »

L'origine en est la plainte de l'écrivain Kåre Bluitgen qui déclare avoir rencontré une grande difficulté à trouver un illustrateur pour le livre sur Mahomet, destiné au public adolescent, qu'il vient d'achever. Et ce, à son jugement, en raison du climat d'autocensure dans lequel l'Europe du Nord a plongé à la suite de l'assassinat, en 2004, par l'islamiste Mohammed Bouyeri, du réalisateur néerlandais Theo van Gogh pour son court-métrage *Submission*, critique de la condition de la femme dans le monde musulman. Or si van Gogh a toujours été un provocateur controversé, enclin aux formules racialistes de toutes sortes et aux équivoques politiques comme le montre *06/05*, son dernier film consacré au meurtre du leader populiste Pim Fortuyn, Bluitgen est demeuré longtemps un héraut du gauchisme tiers-mondiste avant que certains de ses camarades ne dénoncent sa « droitisation » en raison de la vision désenchantée de l'émigration, du communautarisme et du relativisme culturel qui animent son libelle publié en 2002 et polémiquement intitulé *Au bénéfice des Bruns*.

C'est sur ce fond de basculement intellectuel des pays nordiques, jusqu'alors champions de la démocratie apaisée, que Flemming Rose lance un appel à la fédération des dessinateurs indépendants du Danemark. Sur les quarante membres contactés, douze vont répondre positivement à la commande. Leurs productions sont publiées le 30 septembre 2005 sous l'intitulé « Faces de Mahomet », lesquelles ne se contentent pas de braver l'interdit de la représentation du Prophète, mais sont aussi caricaturales, du Mahomet cornu aux ramures en forme de croissant au Mahomet cachant une bombe dans son turban, en passant par le Mahomet accueillant au paradis des kamikazes d'un : « Stop, stop ! Nous sommes en rupture de vierges ! »

La publication ne va pas sans réactions houleuses au Danemark, le gouvernement devant faire face à une vague somme toute habituelle de réprobations institutionnelles ou diplomatiques en rappelant le principe inaliénable de la liberté d'expression face auquel il n'a aucun pouvoir de censure et n'entend pas en avoir. Tout au long de l'automne, les manifestations de rue organisées par le Comité européen pour honorer le Prophète ou les menaces d'attentat proférées par le groupe islamique Les Brigades glorieuses en Europe du Nord occupent normalement les pouvoirs publics. La crise ne vient qu'à retardement, instrumentalisée à partir de l'étranger. En janvier 2006, l'Arabie Saoudite et le Koweït déclarent le boycott des produits danois. Tandis que de nombreux pays de l'Union se rangent du côté de Copenhague, les caricatures sont reprises dans l'ensemble de la presse du Vieux Continent, scandinave d'abord, mais aussi allemande, italienne, espagnole, et bien sûr française. Le monde musulman s'embrase, de la Syrie à l'Indonésie et de la Malaisie à la Somalie. Consulats attaqués, drapeaux brûlés, violences perpétrées contre des chrétiens : le tableau, appelé à être coutumier, compte cette fois-là deux centaines de morts.

Phobie ou athéisme ?

C'est dans ce contexte de véritable crise internationale qu'il s'agit de replacer l'engagement de *Charlie Hebdo* qui relève initialement du geste de soutien. Ce sont la nature et la nationalité de l'hebdomadaire qui vont décider, par la suite, de la place éminente qui lui reviendra au sein d'une bataille ayant pris un tour planétaire. La série de fatwas, chantages en rétorsion et menaces de mort dont la rédaction sera l'objet, placée sous protection policière dès 2007, frappée d'un incendie criminel en 2011, entrée en quasi-clandestinité en 2012 et massacrée en 2015 ne fera pas que répondre, terme à terme, à l'insistance mise par le journal à ne pas se soumettre à l'intimidation. Ce qui sera démontré par la réitération à intervalles réguliers des unes sur l'islam dont l'opportunité proprement politique ne cessera pas pour autant de susciter de vifs débats jusqu'en interne. La liberté ultime dont se réclame l'hebdomadaire, et qui écarte à son sens tout risque de « phobie » particulière envers l'islam, n'est pas la revendication d'une liberté d'expression mais celle d'une liberté d'irréligion.

Charlie Hebdo défend ainsi la tradition de l'athéisme militant issu des Lumières françaises et entend lutter, si ce n'est contre les croyants, contre la croyance quels que soient les avatars qu'elle puisse revêtir et les justifications qu'elle puisse invoquer. Il s'agit de réinterpréter politiquement le fait religieux qui n'aurait d'ailleurs pas de sens autrement. C'est là tout le sens de l'ouvrage posthume de Charb, Stéphane Charbonnier, *Lettre ouverte aux escrocs de l'islamophobie qui font le jeu des racistes*. Même s'il lui arrivera de noter songeusement que les attaques dont il est l'objet de la part des catholiques extrémistes se retrouvent parmi les musulmans les plus modérés, Charb en déduira qu'il y va d'un simple décalage historique, indicatif de la nécessité de recourir intensivement au blasphème comme à un indispensable ferment, même si bouillonnant, d'émancipation.

Or, cet état de contradiction frontale est bien le terrain d'élection des djihadistes qui utilisent à fronts renversés cette prééminence accordée au blasphème. La liste des « Recherchés morts ou vivants pour crime contre l'islam » que publie Al-Qaïda dans la péninsule Arabique au printemps 2013 dans le dixième numéro d'*Inspire*, son magazine digital de recrutement, compte onze individus. Aucun d'entre eux n'est chef d'État ou chef d'état-major, commanditaire d'un acte de guerre contre le monde musulman, responsable d'une opération commando contre une organisation terroriste, décisionnaire de l'exécution préventive d'un émir djihadiste. Tous relèvent du monde de la culture ou, plus précisément, de l'univers des formes et des représentations : Salman Rushdie bien sûr, mais aussi Ayaan Hirsi Ali, la coscénariste du *Submission* de van Gogh ; Morris Sadek, le militant copte américain associé à la vidéo promouvant le long-métrage californien *Innocence of Muslims* ; Geert Wilders, l'activiste néerlandais nationaliste et xénophobe en tant que producteur du court-métrage néerlandais *Fitna* ; Terry Jones, le prêcheur évangélique auteur d'un autodafé du Coran filmé et diffusé sur Internet. Or la majorité d'entre eux, au nombre de six, sont liés directement ou indirectement à l'affaire danoise des caricatures du Prophète. C'est le cas, au titre immédiat du *Jyllands-Posten*, de Flemming Rose, chargé de la culture ; de Carsten Juste, le rédacteur en chef ; de Kurt Westergaard, le dessinateur du fondateur de l'islam à la bombe enturbannée. C'est le cas, par effet de rebond, de Lars Vilks pour son exposition de caricatures aux Pays-Bas en 2007 ; de Molly Norris pour sa campagne « Dessine-moi Mahomet » aux États-Unis en 2010, après la censure renouvelée d'images du Prophète dans la série animée *South Park* par la chaîne d'humour *Comedy Central* ; de Stéphane Charbonnier de *Charlie Hebdo*, seule victime de cet appel au meurtre à ce jour.

3. Une fièvre globale

Dérives nordiques

Le blasphème n'est pas une affaire de clercs, *Charlie* n'est pas un cas d'exception, le retour du religieux n'est pas la clé du désordre politique que draine la mondialisation : c'est ce que montre un rapide tour planétaire des nouveaux procès en sorcellerie qui, loin des habituels rivages du djihadisme, agitent des territoires présumés sécularisés, à commencer par la vieille Europe et, plus généralement, le monde occidental. Ainsi, entre mille exemples possibles, ceux du second semestre de l'année 2012.

En juillet à Varsovie, en Pologne, le mouvement catholique traditionaliste Krucjata Młodych, « Croisade de la jeunesse », réclame l'annulation du concert de Madonna, dénoncé comme « blasphématoire, salissant les symboles chrétiens, se moquant de Dieu » et comme un « nouvel acte d'invasion » en cette période commémorative de l'insurrection contre le nazisme. En août, à Bamberg, en Allemagne, l'archevêque du lieu, Ludwig Schick, promeut la nécessité d'une législation contre le blasphème suite à l'affaire du *Titanic*, un magazine satirique qui avait affiché en couverture une photographie truquée de Benoît XVI arborant une soutane souillée par les « fuites » de Vatileaks, et qui avait été retiré de la vente suite à la protestation des services diplomatiques du Saint-Siège auprès de la Chancellerie. En septembre, à Eubée, en Grèce, Filippos Loizos, un jeune blogueur, est arrêté et inculpé pour blasphème après avoir diffusé sur Internet une caricature du défunt père Païssios, un ascète du mont Athos vénéré dans l'ensemble du monde orthodoxe, en le portraiturant sous la forme d'un gratin de pâtes (*pastitsio*), suite au dépôt d'une plainte du parti néonazi Chryssi Avghi, « Aube dorée », au Parlement hellénique. En octobre, à Poitiers, en France, l'association Sainte-Jeanne-d'Arc, issue des milieux lefebvristes, réclame à la municipalité qu'elle annule la programmation de la pièce de Romeo Castellucci *Sur le concept du visage du fils de Dieu*, jugeant qu'elle « blasphème le Christ » en exhibant sur scène son effigie maculée d'excréments.

Cette tendance européenne touche l'entier hémisphère Nord, rendant même incompréhensibles les oppositions d'hier entre l'Ouest et l'Est. En novembre, à New York, aux États-Unis, l'accrochage du tableau du peintre Michael D'Antuono figurant Barack Obama couronné d'épines et les bras en croix, censé fêter les cent jours du nouveau mandat présidentiel, est annulé après l'envoi de milliers de courriels de baptistes fondamentalistes, scandalisés par ce « détournement blasphématoire, Obama n'étant pas un Sauveur ». En décembre, à Saint-Pétersbourg, en Russie, suite à l'exposition « End of Fun » de Jake et Dinos Chapman exhibant entre autres une marionnette de Ronald McDonald et un ours en peluche crucifiés et jugés « blasphématoires » par divers groupes orthodoxes militants, le musée de l'Ermitage est sous le coup de cent dix-sept plaintes pour « outrage au sentiment religieux et extrémisme ».

Un inventaire à la Prévert ? Les faits retenus ici l'ont été au titre, volontairement, de leur caractère quasiment anecdotique. L'actualité du blasphème, autrement abondante, peut aussi être autrement dramatique et préoccupante, dès lors que l'on quitte le Vieux Continent ou le Nouveau Monde : deux années ferme en Russie pour les chanteuses du groupe Pussy Riot et leur prière punk devant l'autel de la cathédrale du Christ-Sauveur à Moscou ; dix mois de prison avec sursis en Turquie pour le pianiste Fazil Say et ses tweets polémiques sur la religion et la nation. La tarification s'accroît au fur et à mesure que l'on gagne la périphérie : des décennies et plus en Égypte, distribuées en rafales et à l'occasion par groupes, où les verdicts diffèrent selon que l'on est copte ou musulman, musulman libéral ou fondamentaliste ; mais aussi en Birmanie où la coercition s'applique cette fois, au nom du bouddhisme, aux seules minorités musulmanes.

Toutefois, c'est bien dans le monde sunnite que cette actualité devient quotidienne ou presque et que la pénalité, inscrite non pas ou pas seulement dans le droit canon, mais dans le droit civil, culmine à la mort et se voit régulièrement actée comme telle. Cette évidence une fois relevée, il reste à voir pourquoi et comment.

Le chaudron pakistanais

Sur cette même période du second semestre 2012, le cas de Rimsha Masih domine la séquence en raison de son fort retentissement médiatique. Adolescente d'une douzaine d'années, retardée mentale, chrétienne, Rimsha est arrêtée le 16 août 2012 à Islamabad pour avoir, selon un imam de son quartier, brûlé des pages du Coran. Elle risque la mort. La mobilisation internationale en sa faveur, menée par le Vatican sous l'égide du cardinal Tauran, provoque un renversement de situation, l'imam délateur étant à son tour écroué pour forgerie. Rimsha demeure néanmoins en prison dont elle finit par sortir sous caution. Le procès s'ouvre en septembre, un abandon des charges est prononcé en novembre, entre-temps l'imam parjure est libéré alors que Rimsha ne sera, elle, définitivement acquittée qu'en janvier 2013. Au cours du même automne, Ryan Brian Patras, âgé de 14 ans, originaire de Karachi, également chrétien, pareillement accusé d'avoir blasphémé le Prophète, cette fois par voie de texto, et traduit en justice quasiment au même moment que Rimsha, profitera de la campagne la soutenant et bénéficiera pour sa part d'un non-lieu à la condition de s'expatrier.

Tous deux auront ainsi eu plus de chance que cet handicapé anonyme, accusé de sacrilège et lynché par la foule sur une route de campagne en juillet ; que Hazrat Ali Shah, 25 ans, accusé de blasphème par les habitants de son village himalayen, et condamné à mort en novembre ; que cet autre anonyme, un voyageur de passage, accusé de profanation du Coran dans le bourg de Seeta, arraché des mains de la police avant d'être battu à mort et brûlé par cent cinquante villageois en décembre. Eux étaient musulmans, tout comme ces collégiennes de l'institut Farooqi, à Lahore, incendié en septembre par des émeutiers accusant une enseignante d'avoir donné un sujet de devoir injurieux pour le Prophète : le directeur de l'établissement, âgé de 77 ans, est placé en détention préventive pour blasphème. À sa sortie, quelques semaines plus tard, il condamnera l'« acte répugnant » de son ancienne employée qui est entrée en clandestinité.

Qui plus est, à être bon musulman, encore faut-il être sunnite patenté : en décembre, encore à Lahore, une quinzaine de personnes armées prennent d'assaut le cimetière de la communauté ahmadie de Model Town et saccagent une centaine de tombes portant des inscriptions coraniques selon eux blasphématoires à cause du caractère réputé hérétique de cette communauté qui vaut à ses membres d'être justiciables au Pakistan si on les surprend à invoquer le nom d'Allah. Ces violences s'inscrivent toutefois dans le sillage de la tempête soulevée, au début de l'été, par la promotion sur Internet d'*Innocence of Muslims*.

Ces quatorze minutes de vidéo, supposément tirées d'un long-métrage réalisé par un copte aux États-Unis et qui aurait été lui-même financé par un mécène israélien, ont pour but, selon leur promoteur clandestin et agissant sous pseudonyme, de « dénoncer les hypocrisies de l'islam » en restituant de manière « satirique » la vie de Mahomet. Le résultat de ce brûlot volontairement infamant est d'enflammer le monde musulman. La réaction est globale, touche le Nord comme le Sud, l'Ouest comme l'Est. Dès le 11 septembre 2012, date symbolique entre toutes, les représentations américaines au Proche-Orient subissent de véritables assauts, l'attaque au lance-roquettes contre le consulat de Benghazi, en Libye, causant plusieurs victimes parmi le personnel diplomatique américain.

Le 14 septembre, à Peshawar, Ghulam Ahmad Bilour, le ministre pakistanais des Chemins de fer, appelle au meurtre du réalisateur d'*Innocence of Muslims*. Annonçant qu'il offre une prime de 100 000 dollars à l'assassin potentiel, le ministre déclare à l'AFP : « Ma foi est dans la non-violence, mais je ne peux pardonner ou tolérer de telles insultes. Il n'est pas bon de tuer, mais aujourd'hui c'est l'unique solution puisque les pays occidentaux refusent d'agir. » Avant d'ajouter : « Cela nous heurte profondément quand les États-Unis affirment que n'importe qui peut dire n'importe quoi au nom de la liberté d'expression. Mais pourquoi l'Europe et l'Amérique s'irritent-elles lorsque nous usons à notre tour de cette liberté d'expression ? »

Compétition juridique

Comment comprendre cette soudaine revendication de l'universalité pour justifier le meurtre au nom de l'identité ? Le vendredi 21 de ce même mois de septembre 2012, le gouvernement pakistanais se targue d'avoir fait arrêter neuf musulmans, dont un imam, pour le sacrilège qu'ils auraient commis envers Krishna en saccageant un temple hindou dans une banlieue de Karachi. Un geste d'impartialité au cœur du vertige ? Non, un gage indispensable pour rassurer l'opinion internationale et conserver la loi anti-blasphème telle qu'elle a été promulguée par le régime islamiste de Zia-ul-Haq en 1986, c'est-à-dire assortie de la peine capitale, même si un moratoire officieux régit les nombreuses condamnations à mort qui ont été prononcées depuis.

Ce même été 2012, le Pakistan figure à côté de l'Arabie Saoudite et de l'Indonésie, tout juste avant la Corée du Nord, au bas du classement que dresse le rapport annuel publié par l'United States Commission on International Religious Freedom. Peu importe ici la légitimité ou non de cette autorité fédérale américaine à statuer du reste du monde : le rapport blâme particulièrement Islamabad pour avoir constaté que, plus encore que les « blasphémateurs » traduits en justice, ce sont les réformistes pakistanais, désireux d'une révision laïcisante de la législation, qui disparaissent, assassinés, comme c'est le cas du marxisant Salman Taseer, le gouverneur du Pendjab, ou du catholique Shahbaz Bhatti, le ministre délégué aux Confessions minoritaires. Or, le 4 octobre, à Lahore, ce sont les dignitaires religieux chrétiens, sikhs, hindous et musulmans du Pakistan, réunis sous l'égide du Conseil d'État pour le dialogue interreligieux, qui appellent à l'internationalisation de cette législation et demandent au Premier ministre de porter leur requête à l'ONU.

La démarche n'est en rien nouvelle. Deux semaines plus tôt, le 15 septembre, chacun de son côté mais de manière concomitante, Ahmed Mohamed el-Taïeb, le cheikh d'al-Azhar, le centre suprême de l'orthodoxie sunnite au Caire, et Susilo Bambang Yudhoyono, le président de la République d'Indonésie, premier pays à majorité musulmane au monde, ont écrit en ce sens à Ban Ki-moon, le secrétaire général des Nations unies. Plus surprenant, quatre prélats de la Communion anglicane ont adressé ce même jour la même demande au même destinataire. Dans leur missive, les évêques Mounir Anis en charge de l'Égypte et de l'Afrique et Michael Lewis en charge de Chypre et du Golfe ainsi que leurs vicaires Bill Musk pour le Maghreb et Grant LeMarquand pour la Corne estiment que la communauté internationale doit « mettre hors la loi toute forme d'insulte ou de diffamation intentionnelle et délibérée à l'encontre des personnages (tels que les prophètes), des symboles, des textes et des monuments de foi réputés saints par les croyants concernés ». Récusant par avance le reproche de vouloir restreindre par là « le droit à la liberté d'expression », ils considèrent encourager « le sens de la responsabilité et de l'autolimitation au regard des opinions insultantes ou calomnieuses envers les religions ».

La logique de l'épuration

Innocence of Muslims, provocation antimusulmane et en rien innocente, représente non pas la cause première, mais une énième occasion d'agiter une cause dont on peut estimer qu'elle n'emporte pas la conviction de tous ses partisans mais qu'elle représente, pour certains d'entre eux, un accommodement en vue de préserver la paix civile. Les pétitionnaires de 2012 ne font toutefois qu'emboîter le pas à des précurseurs résolus qui ont depuis longtemps entrepris de mobiliser l'Organisation de la conférence islamique (OCI) à cette fin. Ainsi, depuis 1999, chaque année, au nom des cinquante-sept pays qu'elle regroupe, une délégation de l'OCI plaide-t-elle, devant la commission des droits de l'homme des Nations unies, l'adjonction de la « diffamation des religions » aux dispositions fondamentales de l'ONU et, chaque année, les nations de l'hémisphère Nord, soutenues principalement par les pays d'Amérique latine et d'Afrique subsaharienne, en rejettent le principe au nom de la liberté d'expression. Une résolution, âprement discutée et au demeurant vague, a fini par être adoptée mais bornée d'une précaution décisive : la protection des individus étant clairement distinguée de la défense des groupes, les systèmes de croyance sont exclus, en tant que tels, du périmètre des droits de l'homme ; ce qui implique, au passage, que ces derniers soient considérés comme réfractaires à n'importe quelle législation anti-blasphème en raison même de l'oppression des minorités qui peut en découler, cette position étant défendue par le Saint-Siège lui-même pour d'évidents motifs missionnaires.

Le règne de la coercition légale, tel est précisément le cas au Pakistan où la funeste actualité se poursuit, invariable, et confère un arrière-fond sinistre aux attentats de Paris. À la fin 2014, le jeune Mohammad Asghar, souffrant manifestement de troubles mentaux, est condamné à mort pour s'être déclaré prophète ; la chrétienne Asia Bibi, condamnée à mort pour blasphème en

2010, voit son appel rejeté par la Haute Cour de Lahore ; la star bollywoodienne Veena Malik et son mari l'acteur Asad Bashir, issus du milieu chiite, sont condamnés comme blasphémateurs à vingt-six années de prison ferme pour avoir rejoué sur Geo TV leurs noces au rythme de chants soufis évoquant l'union de Fatima, fille du Prophète, avec Ali, le cousin de celui-ci.

Les marges et les minorités : c'est à elles que s'applique excellemment le blasphème en tant qu'appareil répressif de tout ce qui dérange. Cela demeure si vrai au sein du monde musulman pris dans les convulsions de l'islamisme que, en Égypte, toujours à cheval sur l'hiver 2014-2015, le coup d'État du maréchal al-Sissi contre le régime fondamentaliste du président Morsi profite aux coptes dans le discours mais pas dans les prétoires. Le 28 décembre 2014, Bishoy Armia Boulous, connu sous le patronyme de Mohammed Hegazy avant son baptême, est condamné à une année de prison ferme pour blasphème sans que le moindre commencement de preuve ait été porté au dossier lors de son procès. Le 14 mai, le copte Mounir Beshay, qui affiche volontiers sa croix, est condamné à une année de prison ferme pour avoir partagé sur la Toile la vidéo d'un imam discourant sur les règles de l'allaitement dans la charia, tout en prenant le parti d'en rire.

Il ne s'agit pas ici d'endosser le choc des civilisations, d'en appeler à la croisade contre le djihad, ou de ne retenir que les chrétiens comme victimes de la nouvelle question d'Orient, mais de décrire la logique du fait majoritaire inhérent au blasphème, de sa répression galopante et de sa judiciarisation grandissante. Toujours en Égypte, le 31 mai 2015, le journaliste de télévision Islam El-Behiry est condamné à cinq ans de prison ferme pour le ton critique du documentaire qu'il a produit sur le mouvement salafiste et qui est considéré comme déteignant sur l'islam. Cette sentence est à comparer aux mille coups de fouet et aux dix ans de prison ferme dont écope, le 7 juin, en Arabie Saoudite, Raif Badawi, condamné pour avoir tenu un blog jugé antimusulman. Ou à la peine capitale que prononce le 26 juin, au Nigeria, la Haute Juridiction islamique de Kano contre Aminu Abdul Nyass, un prêcheur soufi, et sept de ses auditeurs au titre de l'hétérodoxie de son enseignement. Et à tant d'autres, au même moment, au Soudan, en Somalie, aux Émirats arabes unis, ailleurs, qui frappent des musulmans désignés qui ont en commun d'être des minoritaires avérés. La légalité insistante dont se pare le montage institutionnel de la représentation blasphématoire vaut d'ailleurs pour les tribunaux terroristes comme pour les tribunaux étatiques : c'est après de minutieux procès parés des critères de l'objectivité que, sur la même période, le 10 mars, Da'ech fait décapiter deux homosexuels en Irak et, le 28 août, Al-Qaïda fait fouetter à mort dix buveurs d'alcool au Yémen.

Le culte qui est autre, la culture qui est autre, les mœurs qui sont autres : tout signe de différence pouvant devenir facteur d'exclusion sert la grande entreprise de purification qui réclame un exercice constant d'épuration afin de se justifier. Cette catharsis révolutionnaire des fondamentalismes dévots est supérieure à celle des totalitarismes athées car, étant sans appel, le jugement de Dieu a le pouvoir non pas seulement de transformer, mais d'annuler l'histoire. Or, précisément, que dit l'histoire de cette fabrication récente et de son emprise sur la scène internationale ?

4. ISLAMISATIONS

Tuez Rushdie !

Le blasphème connaît, depuis trois à quatre décennies, une double inflation aboutissant, dans l'imaginaire, à lui conférer une représentation hybride qui tiendrait à la fois du bestiaire médiéval et du roman d'anticipation. D'une part, il est cette chimère flamboyante et rugissante qui suinte la peur, le ressentiment, l'obsession. D'autre part, il est ce robot aveugle et implacable qui distille la terreur, l'asservissement, l'élimination. Les vidéos d'exécution que diffuse Da'ech montrent malheureusement combien cette collusion symbolique entre éléments archaïques et modernes peut être volontaire et maîtrisée. Elle est de mise depuis la mutation géopolitique qui a vu, avec la fin de l'Union soviétique, le renversement de la confrontation entre l'Est et l'Ouest en affrontement entre le Nord et le Sud. Et qui s'est traduite par l'implosion des utopies sociales et l'explosion des certitudes religieuses.

C'est bien au détour d'une affaire de blasphème que ce tournant a pris force d'évidence. Il s'impose au grand public le 26 septembre 1988 en Grande-Bretagne avec la publication, aux éditions Penguin Viking, du roman *The Satanic Verses*, « Les Versets sataniques », dont l'auteur est Salman Rushdie, écrivain britannique d'origine indienne, issu d'une famille de tradition musulmane et lauréat du Booker Prize, la plus haute distinction littéraire en langue anglaise. Se revendiquant de Rabelais et de Boulgakov, alternant sources documentaires et séquences fantaisistes, Rushdie y raconte un Prophète pris au piège de sourates dictées non pas par Dieu, mais par le Diable. Avant même la sortie du livre, l'entretien de lancement accordé à *India Today* met le monde musulman en émoi. Ainsi, lorsque l'ouvrage arrive chez les libraires britanniques à la fin du mois de septembre 1988, les musulmans de la péninsule indo-pakistanaise sont-ils prêts à entrer en guerre.

Immédiatement, deux membres musulmans du Parlement indien, Syed Shahbuddin et Khurshid Alam Khan, mènent une campagne pour faire interdire le roman au Royaume-Uni, tandis que la Fondation islamique de Madras en Inde mobilise la Fondation islamique de Leicester en Angleterre. Comme l'a montré Gilles Kepel, l'internationale fondamentaliste se met en branle avec une indéniable efficacité, ralliant rapidement l'Arabie Saoudite, les Émirats et le reste du monde musulman. L'échec de la demande d'interdiction mène, en Grande-Bretagne, à une systématisation de l'agit-prop dont l'autodafé de Bradford, le 14 janvier 1989, est l'acmé. Deux semaines plus tard, le Pakistan devient le théâtre de manifestations meurtrières. Le monde musulman s'embrase. Le 14 février 1988, Radio-Téhéran diffuse la *fatwa* de l'ayatollah Khomeiny : « Je porte à la connaissance des vaillants musulmans du monde entier que l'auteur des *Versets sataniques* – livre rédigé, édité et distribué dans le but de s'opposer à l'islam, au Prophète et au Coran – ainsi que les éditeurs dudit livre ayant agi en connaissance de son contenu, sont condamnés à mort. Je demande aux vaillants musulmans de les exécuter avec célérité, où qu'ils les trouvent, pour que désormais personne n'ose offenser ce que les musulmans ont de sacré. Quiconque perdra la vie en essayant d'exécuter cette sentence sera considéré comme martyr, si Dieu le veut. »

La résonance internationale que va rencontrer la *fatwa* de l'ayatollah Khomeiny ne s'explique pas seulement par la globalisation de l'information et sa circulation quasi instantanée qui permet aux médias du monde entier de s'en emparer dans la journée. Elle constitue surtout un moment de fracture sans précédent entre deux mondes. Non seulement Khomeiny condamne Rushdie à mort, mais il enjoint à tous les musulmans d'accomplir ce meurtre salvateur pour la communauté, afin de réparer l'insulte faite au Prophète. La condamnation du blasphème joue ici son rôle politique le plus primitif. Loin des guerres intestines qui agitent l'islam, elle doit être un moment de communion, de réconciliation de l'Oumma dans son entier en ce qu'elle constitue une déclaration de guerre à l'Occident dans sa totalité.

Ce passage de la condamnation traditionnelle du blasphème sur un territoire déterminé, par un pouvoir défini et pour un temps donné, à une condamnation du blasphème hors de toute frontière, de toute autorité et de toute durée constitue la clé de la globalisation du blasphème. Monstrueusement, elle fait, partout et à tout moment, de tout Occidental un impie potentiel et de tout musulman un bourreau potentiel : non seulement les Occidentaux doivent avoir peur des musulmans, mais plus ils les craindront, plus les musulmans, marginalisés, se communautariseront, justifiant par là l'appréhension des Occidentaux. Le piège de la double radicalisation se referme pour former un parfait cercle vicieux dont le moteur est l'incompatibilité des sacralités.

Avec ou sans la charia

Cela dit, comment expliquer la place singulière, en fait paroxystique, qu'occupe l'islam dans la polarisation actuelle et qui trouve dans le blasphème l'un de ses plus puissants ferments ? Les faiblesses du monde musulman, combinant le legs colonialiste et la vitalité démographique, les déboires économiques et les impasses politiques, n'y sont pas étrangères. Mais si l'islam constitue la principale fabrique, la plus complète et la plus vigoureuse, du retour du religieux, n'est-ce pas d'abord pour des raisons théologiques ? Il ne suffit pas de réduire le Coran à un traité de tolérance ou à un manuel de terrorisme au gré de citations de circonstance pour répondre à cette difficile question. Il s'agit plutôt d'appréhender en quoi la clôture de l'exégèse interprétative qui caractérise le sunnisme n'est pas sans rapport avec la littéralité de la charia que promeuvent les islamistes et même s'y accomplit : lorsque le raisonnement doctrinal se limite à l'exposé jurisprudentiel, l'autonomie individuelle se dissout dans l'hétéronomie collective. L'attention dévolue au blasphème en sort nécessairement renforcée car il constitue un moyen majeur de légitimer et de vérifier l'immobilisme social et politique qui est censé corroborer l'immutabilité divine de la loi.

Au regard de cette judiciarisation qui englobe d'un même mouvement le spirituel et le temporel, qu'indiquent toutefois les différentes législations prohibant et punissant le blasphème dans le monde musulman ? À essayer d'en dresser une typologie consistante, l'observateur se heurte à plusieurs difficultés. Comment classer les États concernés, et à partir de quel critère ? Selon que le blasphème y est défini en fonction de la culture sunnite ou de la culture chiite ? Selon que le blasphème s'inscrive dans le sillage d'une Constitution qui se fonde sur le Coran ou d'une Constitution qui se revendique de la laïcité ? Selon que le blasphème y est un délit au regard de toute religion ou au regard du seul islam ? Selon que le blasphème y est puni de prison ou de mort ? En réalité, aucune de ces différenciations ne permet d'élaborer un tableau consistant, tant les situations sont disparates.

Pour autant, tous les pays se déclarant musulmans ont établi une législation contre le blasphème et certains de ces pays musulmans sont les derniers au monde à inclure la peine capitale dans leur arsenal répressif pour un tel délit. C'est là une évidence dans le noyau historique de l'islam, à savoir le monde arabe dans lequel le mouvement d'émancipation des « Printemps » de 2010-2011 s'est heurté au déploiement de partis aussi religieux que radicaux, cette concurrence s'étant le plus souvent soldée au détriment des libertés, dès lors que l'on n'omet pas d'ajouter aux restrictions visibles la généralisation plus souterraine de l'autocensure.

Ainsi, au Maghreb, si l'Algérie n'a pas eu à renforcer un dispositif déjà consolidé en 1990 et qui protège indistinctement les autorités religieuses et politiques, le Maroc a étendu les formes de délit et durci les peines afférentes au blasphème dans le nouveau code pénal promulgué par le roi en 2015 tandis qu'en Tunisie l'échec du parti Ennahda à soumettre la Constitution à la charia a été compensé par une répression policière accrue de tout acte présumé sacrilège. Ce modèle a prévalu en Libye, livrée au chaos, au Soudan, déchiré par la guerre civile, et en Égypte, prise dans la valse des régimes, où les résolutions affichées sont d'autant plus généreuses que, sur le terrain, règnent l'interdiction et la répression. Plus à l'Orient, le Machrek, où le Liban fait figure d'exception et la Jordanie de modération, influence l'ensemble formé par le Qatar, les Émirats arabes unis, le Koweït, Bahreïn, Oman ; ceux-ci se contentent de lourdes peines de prison là où l'Arabie Saoudite, le Yémen, la Somalie professent et pratiquent la peine capitale en cas d'insulte proférée contre Allah, Mahomet et le Coran. En Syrie et en Irak, qui se voulaient résolument laïcistes à l'époque du baasisme dominant, ce sont Da'ech et al-Nosra qui, dans le désordre ambiant, administrent la mort comme punition divine. De même que la responsabilité de la monarchie saoudienne dans la propagation du wahhabisme ne peut être éludée, cette proximité entre terreur militante et terreur étatique et État terroriste mérite d'être interrogée.

Voile et décapitation

Le paroxysme islamique ne doit pas faire oublier, pour autant, la dimension universelle du malaise consécutif à la fin du communisme qui ne s'est pas cantonné au monde musulman, même si l'Oumma en offre les formes les plus exaspérées, ou aux espaces traditionnels des trois monothéismes, malgré la réputation belliciste dont on les affuble volontiers. Tous les États, musulmans ou non, ont eu à prendre en compte ce regain du sacré, certains pour l'endiguer, d'autres pour l'instrumentaliser. Toutes les confessions historiques, autres que l'islam, ont peu ou prou fourni des troupes à cette tentation identitaire. Les sagesses asiatiques, l'hindouisme, si impassible, ou le bouddhisme, si compassionnel, ne se sont pas montrées moins promptes à soumettre à la même mécanique d'exclusion ceux qu'elles jugent indésirables, à savoir précisément les musulmans.

Entre vengeance de Dieu et renversement des Lumières ou ruse de l'Histoire et parachèvement de la sécularisation, la théorie n'a pas su trancher. Mais les interprétations dominantes de ce phénomène planétaire ont été l'apanage des États-Unis et de leurs *think tanks* dont les « idées de laboratoire », précisément, complaisent souvent à leurs financeurs. Il n'est donc guère étonnant qu'au cours de cette parenthèse où l'Amérique a connu le statut inédit d'hyperpuissance ces représentations géopolitiques aient dénoté un certain inconscient suprématiste ou aient revêtu valeur de programmes, voire de prophéties autoréalisatrices pour Washington : Samuel Huntington et son *Choc des civilisations*, Richard Perle et sa *Fin du mal*, charpentant un *Projet pour un nouveau siècle américain*, Zbigniew Brzeziński et son *Grand échiquier*, déterminant une *Suprématie américaine et ses impératifs géostratégiques* n'en sont que des échantillons parmi des dizaines d'autres essais plus méconnus.

Il s'est dégagé de cette profusion idéologique un désarroi politique que hantent des interrogations sans réponse définitive : la démocratie est-elle le vecteur d'un devenir irrésistible parce que découlant du sens de l'Histoire ? Les droits de l'homme sont-ils universels ? Les systèmes symboliques, nécessairement héritiers et porteurs de particularismes, peuvent-ils intégrer la mondialisation ? Est-il possible de garantir l'existence des minorités à l'heure du village planétaire ? Comment aménager la coexistence au sein de la nation, de la cité, du quartier à l'heure de flux migratoires sans précédent ?

Cette situation contradictoire, prise entre fracture politique et soudure religieuse, s'est organisée selon quelques marqueurs éminents qui délimitent une nette frontière entre permanence et évolution. La condition féminine représente un de ces marqueurs. Le blasphème en constitue un autre.

Le visage voilé et la tête décapitée en quelque façon se répondent : il revient à la loi de soustraire le caractère incessible de chaque individu et d'y substituer pour tous l'impératif de la communauté. L'idéal de communion qui émane de cette verticalité vertigineuse peut fasciner, particulièrement au regard de la désertification du sens que supposent les sociétés d'abondance. Pour autant, ce miracle est un mirage et le paradis originel ne tarde pas à se révéler un enfer immédiat. C'est avec raison que Tocqueville note combien la figure de la personne représente, dès qu'elle émerge, un phénomène irrésistible qui s'impose à toutes les civilisations comme une culture commune de l'émancipation.

De Tariq Ramadan au Dalaï-Lama

La Déclaration universelle des droits de la personne par les religions du monde, symboliquement présentée à Montréal au début septembre 2011, est significative de cet enjeu. Elle est l'œuvre de la Deuxième conférence mondiale sur les religions du monde après le 11 septembre 2001, une organisation non gouvernementale ayant pour objet officiel le dialogue interreligieux. Elle est d'inspiration volontairement mimétique puisque, selon ses rédacteurs, elle « vise à reformuler la Déclaration universelle des droits de l'homme, adoptée par l'Assemblée générale des Nations unies le 10 décembre 1948 ». Elle se propose de réunir les « religions du monde » à ce propos et de faire en sorte qu'elles s'entendent et qu'elles proposent une charte révisée à l'ONU qui reconnaîtrait et entérinerait enfin leurs propres statuts institutionnels et droits canoniques.

Outre que l'on ignore sur quels critères reposerait l'appartenance à un tel directoire mondial des croyances, les résolutions monumentales, déroutantes et souvent incohérentes abondent au sein de cette Déclaration universelle *bis*. Il s'agirait ainsi, à suivre ses auteurs, de rendre partout obligatoire, face à l'« esprit d'ignorance », l'enseignement de tous les corpus religieux existants « sous l'égide des autorités compétentes » ; mais aussi de rendre parfaitement solidaires, face à l'« esprit de profanation », tous les credo et textes religieux fondateurs réunis sous l'intitulé d'« Écritures » ; ou encore de rendre totalement impossible, face à l'« esprit d'hostilité », tout dénigrement de toute religion « dans les médias et les lieux d'enseignement ». Les religions sans hiérarchie, sans livre, sans dogmatique ne seraient-elles pas admises dans ce front commun ? Ou auraient-elles été simplement omises car son objet serait moins de rassembler les religions que de repousser l'irréligion ? Le terme de blasphème est absent, mais pas la réalité, sa proscription étant assimilée au droit « de chaque individu au respect de sa vie privée et de sa réputation », non sans insister sur le devoir pour « tout fidèle religieux de s'assurer » activement que ce droit est observé.

Lors de la conférence de presse qui accompagne le lancement de la Déclaration, le Pr Gregory Baum, du Département des affaires religieuses de l'université McGill de Montréal, en explique les fondements théoriques. Pour ce tenant du « libéralisme théologique », l'Occident doit renoncer à imposer sa distinction entre le spirituel et le temporel car « dans certains pays, la religion est partie intégrante de la culture, au point que se convertir, c'est renier sa culture, se couper du reste de la société », ce qui implique que « l'ONU reconnaissant le droit des peuples à défendre leur culture, ce droit peut conduire à interdire les conversions. Les droits collectifs existent aussi en effet, un peu à la manière dont le Québec réglemente la langue ».

Requérir les droits de l'homme pour les dissoudre, les pratiques communes pour les maximaliser, les parallèles réels ou fortuits entre instances cultuelles et culturelles pour les fusionner participe du retournement plutôt ordinaire du relativisme en absolutisme. On ne sera guère surpris que l'activiste islamiste Tariq Ramadan ait été un signataire enthousiaste de cette déclaration dont il aurait été, dit-on, l'un des inspirateurs. On pourra s'étonner ou feindre de s'étonner que le Dalaï-Lama, par ailleurs président de ce « sommet », y ait volontiers souscrit, quitte à paraître ignorer que le conformisme des chefs religieux découle de la conformation des religions, quelles qu'elles soient, et le bouddhisme tibétain comme les autres, au système abstrait, positif, et générique de la vérité causale.

C'est là le résultat de la sécularisation dont l'avancée n'épargne personne. Mais qui, il est vrai, embrase particulièrement l'islam. En prenant le blasphème comme terrain de confrontation avec la modernité, l'islamisme hybride son propre héritage : comment mieux défendre son identité qu'en se battant sur le front de ce que la charia englobe sous le crime plus général d'apostasie, c'est-à-dire de la renonciation à son être le plus intime mais aussi à sa capacité à se constituer ou se reconstituer en sujet historique ? Aussi la quête de cette identité sans cesse perdante parce que sans cesse perdue en devient-elle folle. Pour autant, le monde musulman ne représente jamais que le cas extrême de cette confrontation. Ailleurs aussi, le revivalisme religieux masque l'angoisse de disparaître. Ailleurs aussi, l'agitation pour et contre le blasphème se présente comme la forme hystérisée de cette agonie. Cet ailleurs ne connaissant pas d'exception, il inclut donc l'Europe, quoi qu'il en soit de la désillusion religieuse qui affecte le Vieux Continent.

5. L'arsenal du Vieux Continent

Entre doctrine et sentiment

Sur le front universel des religions, le rêve des réformistes désireux de prendre part à la société libérale mondialisée rejoint le cauchemar des fondamentalistes soucieux d'y résister : le fait est, comme l'a souligné Francis Messner, qu'aucune convention ou règle coutumière internationale n'encadre à proprement parler le blasphème, ni pour le pénaliser ni pour le dépénaliser. Sur le Vieux Continent, les scandales supposément sacrilèges qui ont agité l'opinion, de Rushdie à Charlie, ont donné lieu à une intense judiciarisation. Comment les tribunaux civils de la région la plus sécularisée de la planète ont traité de ces querelles en sacralité par-delà leurs seuls aspects confessionnels, voilà qui mérite d'être interrogé, d'autant plus que l'Europe dispose en la matière d'un véritable arsenal dont on sait qu'il est souvent obsolète.

La recherche d'un fondement légal au processus d'exclusion est en effet caractéristique de la mécanique du blasphème. À Londres, l'Islamic Council of Europe, une fondation privée proche de la Ligue islamique mondiale et d'inspiration wahhabite, s'efforce ainsi, à chaque crise, de relancer la Déclaration islamique universelle des droits de l'homme qu'elle a publiée en septembre 1981 et dont l'article 13 stipule que « personne ne doit mépriser ni ridiculiser les convictions religieuses d'autrui, ni encourager l'hostilité publique à leur encontre », à moins de tomber sous le coup de la loi réprimant la diffamation. À Paris, où la discipline républicaine empêche la multiplication des chartes fondamentales, le Conseil français du culte musulman (CFCM), constatant qu'il « est indigne de prétendre défendre la dignité de l'islam en portant atteinte à la vie de personnes innocentes », appelle « les musulmans à user de moyens justes et légaux pour défendre leur religion et le messager de Dieu ». Pour autant, par-delà ce renvoi à la norme citoyenne, le même Conseil invite « toutes les forces vives de toutes les religions à afficher un front uni contre les prêcheurs de haine » et exhorte « les États de droit à ne pas tolérer les insultes et les incitations à la haine diffusées contre une religion ou une communauté sous couvert de la liberté d'expression ».

Or lesdits « États de droit » que sont les nations européennes et plus généralement occidentales doutent précisément de la possibilité et de l'opportunité qu'il y aurait à traduire dans le langage juridique une réalité religieuse en usant de concepts universels et universalisables qui seraient de surcroît compatibles avec l'autonomie du jugement que requiert la modernité politique. Au contraire, la limitation de la liberté d'expression au bénéfice de la protection du sentiment religieux marquerait un pas en arrière par rapport à l'émancipation de la tutelle religieuse et équivaudrait à réintroduire le pouvoir d'hétéronomie. Car, parmi ces États, si tous ne se disent pas laïques, tous se savent sécularisés. Sur le Vieux Continent, la séparation entre l'État et l'Église qui fut progressive paraît désormais si acquise que l'antique délit de blasphème, même s'il existe encore, en ressort sans effet juridique réel. Par ailleurs, la diversification du paysage confessionnel sous l'effet des migrations, qui rend l'inscription du fait de croyance dans l'espace public source de difficultés et d'atermoiements renouvelés, suffit à apaiser, lorsqu'elles existent, les velléités de politique religieuse.

C'est cependant au nom de la tolérance et du pluralisme que, dans leur grande majorité, les pays de l'Union européenne s'efforcent d'accorder un traitement spécifique aux offenses faites à la religion ou aux croyants. Si ces législations ont une longue histoire, elles sont souvent équivoques et ne réussissent que rarement à discriminer entre liberté de croyance, liberté de conscience et liberté d'expression. Si elles continuent encore de disposer, au moins formellement, qu'il y a lieu de condamner le blasphème, elles se gardent de le faire. Si elles semblent convergentes, elles révèlent, lorsqu'on les compare, l'extrême polysémie du lexique pénal qu'elles impliquent.

Le blasphème n'a pas besoin d'être expressément cité pour exister à travers les mille et une réalités qui se modèlent sur le mécanisme avec lequel lui-même coïncide. Là où il n'y a pas d'incrimination *stricto sensu*, on trouve une protection pénale des bonnes mœurs ou de la pudeur ; un régime d'autorisation ou de classification en matière artistique, cinématographique, médiatique ; une réglementation des messages publicitaires ; un encadrement de la diffamation de groupe ; une répression de l'incitation à la discrimination ou à la haine. Au sein de ces législations à géométrie variable, se dégagent néanmoins trois perspectives différentes de protection, selon qu'il s'agit de garantir une représentation collective considérée comme une vérité sacrée, de prémunir un sentiment individuel entrevu sous l'angle de la dignité personnelle ou de l'intégrité émotionnelle, ou de contenir un mouvement d'hostilité dépréciative qui est source potentielle de violence. Divergentes dans leurs présupposés et leurs conséquences, ces trois perspectives signalent en réalité des conceptions différentes de la relation entre le fait religieux et la volonté politique.

Sacrée Albion

Punir le blasphème *stricto sensu* au nom d'une vérité transcendante et considérée comme inviolable, tel est le premier type des législations européennes qui réunit traditionnellement la Grèce, l'Italie, et l'Angleterre – quoique jusqu'en 2008 dans ce dernier cas. Ces pays ont en commun d'avoir construit leur identité nationale autour d'une confession religieuse, d'avoir institué cette confession en religion d'État et d'avoir disposé d'une forte homogénéité sociale en raison de l'adhésion d'une écrasante majorité de leur population à ladite confession. Cet holisme explique que l'appareil légal réprimant le blasphème s'est concentré sur ce condensé communautaire tout le temps où il a été hégémonique, avant d'être élargi, sous l'effet de transformations politiques ou sociologiques, à l'ensemble des corps religieux peu à peu reconnus sur le territoire, anciennement présents ou nouvellement arrivés. La forme juridique entérinant cette mutation a ainsi tenu à un addendum extensif, sous forme d'alinéa, à la loi principale.

De ces trois pays, l'Angleterre est celui qui a le mieux illustré, dans sa forme la plus pure et jusqu'à une date récente, la criminalisation du blasphème. Ce qui peut surprendre de la part de la nation de l'*Habeas corpus*, rétive à la restriction des libertés individuelles, mais il faut compter avec le puritanisme anglo-saxon et, surtout, avec la singularité de l'anglicanisme, ce mélange de catholicisme et de protestantisme créé sur mesure pour servir la Couronne britannique, qui assure au souverain temporel un pouvoir spirituel en dotant le défunt empire et le présent Commonwealth d'une unité confessionnelle et, plus encore, rituelle.

C'est entre la Renaissance et les Temps modernes que le classique délit de blasphème prend de l'ampleur, de même que grandit sa répression. Du XVIᵉ au XVIIIᵉ siècle, les successifs procureurs généraux du royaume poursuivent avec constance les « sectes » pour leur impiété réelle ou supposée, les unitariens pour atteinte au dogme de la Trinité, les déistes pour dénigrement des Écritures, mais aussi les savants pour propagation de l'incrédulité, à l'instar de Thomas Woolston, professeur à l'université de Cambridge, puni pour avoir discrédité les miracles et n'y avoir vu que des allégories. Tandis qu'à partir du XVIIIᵉ siècle la libre-pensée gagne les classes supérieures, le droit suit le mouvement ; la définition du blasphème mute en « une dénégation de la doctrine du christianisme qui constitue un risque pour l'ordre public », tort que le décisif arrêt de 1883 ramène à « ce qui est de nature à blesser sérieusement la sensibilité religieuse des chrétiens ».

Ce passage de la doctrine à la sensibilité, de la négation à l'offense, représente une évolution primordiale et constitutive de la modernité politique. Pour autant l'Angleterre, comme la France de l'Ancien Régime, associe le délit de blasphème au déni de l'État. Contester une vérité légitimée par l'appareil étatique revient en effet à nier, outre cette vérité, la légitimité même de cet appareil. Aussi est-ce l'anglicanisme, en tant précisément que religion d'État, qui a fourni non seulement le plus grand nombre de cas instruits, mais aussi l'*Idealtypus* de toute infraction blasphématoire.

La dernière condamnation de cet ordre date de 1977 et sanctionne l'affaire *Whitehouse versus Lemon*. En 1976, *Gay News*, hebdomadaire destiné à la communauté homosexuelle, publie un poème de James Kirchup intitulé « The Love that dares to speak its Name », « L'amour qui ose dire son nom ». Le poème met en scène un centurion romain, qui, voyant Jésus-Christ sur la Croix, repense aux échanges charnels qu'il aurait eus avec lui. Mary Whitehouse, une militante de l'ordre moral qui a consacré sa vie à la lutte contre l'obscénité et l'impiété, décide de poursuivre le magazine en la personne de son directeur, Denis Lemon. Le procès se déroule à Londres, dans un environnement que la presse juge favorable à l'accusé.

Le blasphème devant être, pour constituer une infraction, de nature à blesser « sérieusement » la sensibilité religieuse des chrétiens, la défense soutient que le responsable n'avait nulle intention d'offenser quiconque par cette publication et que, de plus, il ignorait

qu'elle était susceptible d'entraîner de telles conséquences. Donner à lire ce poème, argumente-t-elle,
pouvait d'autant moins découler de la volonté de commettre un pareil outrage qu'il était imprévisible, puisque
Gay News s'adresse à un lectorat non pas chrétien mais
homosexuel. Ses conclusions sont toutefois rejetées.
Sur décision majoritaire du jury qui reconnaît la culpa-
bilité du magazine, le juge condamne la société éditrice
à une amende et son directeur à une peine d'emprisonnement avec sursis. Les condamnés interjettent appel
à la House of Lords, soit l'équivalent de la Cour
suprême américaine. Malgré une divergence d'opinion
entre les cinq magistrats, la Cour, en 1979, confirme la
condamnation.

L'arrêt contient deux conclusions importantes. Tout
d'abord, « l'élément moral du blasphème consiste seulement dans l'intention de publier une matière que [le
tribunal] considère comme blessante pour les sentiments religieux des chrétiens. Nulle intention d'offenser
n'est nécessaire, pas plus que la négligence à cet égard »,
mais aussi et ensuite « pour constituer l'infraction de
blasphème, il n'est pas nécessaire que la publication
entraîne un risque pour l'ordre public ». Il en ressort
qu'il n'est nul besoin qu'il y ait intention d'offenser pour
qu'il y ait offense. Le caractère « intrusif » de la plainte
qu'invoquait la défense de *Gay News* n'a pas à être
retenu, pas plus que n'est retenue la nécessité d'une
atteinte à l'ordre public. Cependant ces conclusions
soulignent également, de façon indirecte, que l'infraction de blasphème ne s'applique qu'aux « sentiments

religieux des chrétiens ». Or cette restriction est tout le problème auquel va bientôt faire face l'Angleterre.

Quatre ans après l'affaire *Gay News*, éclate l'affaire Salman Rushdie. La communauté musulmane d'Angleterre, réalisant qu'elle aurait pu poursuivre l'auteur pour blasphème si la satire avait porté sur le Christ plutôt que sur Mahomet, lance une pétition en vue de la réforme de l'infraction de blasphème, de sorte qu'elle protège également la religion musulmane. La requête est soumise au Parlement mais, par jugement du 9 avril 1990, la Cour la rejette. Le seul résultat probant de cet imbroglio va être l'abolition de la loi elle-même. La Cour européenne des droits de l'homme y prend sa part mais les pressions qu'elle exerce ne font que souligner la contradiction qui étreint la législation anglaise : ce ne sont ni le trouble ni l'insulte qui sont punis dans cette affaire, mais la qualité d'un propos, dégradant en l'espèce, pour la personne du Christ, ce qui rend la position intenable car porteuse d'une indésirable complexité. Il est alors plus facile d'abroger. Chose faite en mars 2008. Le 12 novembre 2015, le débat est néanmoins relancé devant le conseil musulman britannique par Keith Vaz, membre du Parlement et représentant du Labour, le parti travailliste, qui appelle de ses vœux la réinstauration d'une loi anti-blasphème « applicable à tous ».

Le pape et le Duce

L'Italien est aussi catholique d'histoire, de définition et de réputation que l'Anglais est anglican, quoique les similitudes en apparence nombreuses entre les deux pays n'en ressortent pas moins trompeuses au deuxième coup d'œil. L'Italie doit en effet compter d'une part avec la jeunesse effervescente de son État dont la capacité à forger un sentiment national reste précaire, d'autre part avec la relation astreinte de son État au plus singulier des États, le Saint-Siège, fiché au cœur de son territoire et de son identité religieuse mais dont le propre horizon d'action est planétaire. Pour autant, et pour ce qui est de la législation du blasphème, l'Italie ressemble à l'Angleterre par le privilège quasi juridictionnel qu'elle accorde à l'Église dominante et par le maintien d'une activité conservatrice de répression jusqu'à l'an 2000.

La particularité de l'Italie tient cependant dans le fait que le délit de blasphème, qui avait disparu de la loi avec Garibaldi lors du *Risorgimento*, y a été réintroduit au moment de l'avènement du fascisme. L'année 1922 marque en effet un tournant dans les rapports entre l'Église et l'État, en mettant fin à la « question romaine » qui oppose le Vatican à la monarchie. Alors que l'Italie unifiée s'est naturellement constituée contre le Saint-Siège et qu'elle a retiré de ces querelles territoriales la nécessité d'une séparation des pouvoirs, le fascisme impose une nouvelle structure politique et sociale. S'ensuivent les lois ecclésiastiques de 1923-1925, favorables à la papauté. En 1929, le premier article des accords du Latran, signés entre l'État italien, représenté par Mussolini, et le Saint-Siège, représenté par le cardinal Gasparri, secrétaire d'État de Pie XI, proclame à nouveau la religion catholique comme « religion d'État ».

Pour autant, ce que désire le pape est d'éprouver la bonne volonté du Duce ou, à tout le moins, ce qui en tient lieu après plusieurs décennies d'affrontement entre le Saint-Siège et l'État naissant. Dans le cadre de ce concordat, des lois pour punir toute forme d'atteinte au catholicisme romain sont immédiatement édictées en marque de réparation du passé. Ainsi l'article 402 du code pénal prévient-il : « Quiconque outrage publiquement la religion de l'État est puni d'une peine de réclusion d'un an au maximum », de même que l'article 724 : « Quiconque blasphème publiquement, par des invectives ou des propos outrageants contre la Divinité, les symboles ou les personnes vénérés dans la religion de l'État est puni d'une amende de vingt mille à soixante mille lires. » Le code pénal prévoit également un article condamnant les outrages à la religion de l'État au moyen d'un outrage aux personnes (article 403) et un article condamnant les offenses à la religion de l'État au moyen d'un outrage à l'égard des biens (article 404).

Cette législation demeure référentielle. Elle a été corrigée d'un article adopté plus tardivement condamnant les délits contre les autres cultes admis par l'État (article 406). L'atténuation, au fil du temps, des délits d'outrage à la religion n'a pas été obtenue par une révision du code mais par des arrêts de la Cour de cassation. La loi italienne de 2006 a réformé le code pénal fasciste, mais n'a pas pris la peine de supprimer l'incrimination de blasphème. Elle s'est contentée de changer le régime de sanctions. Son inadéquation a été soulignée par le procureur de Bologne en 2007 : ayant à statuer d'une plainte pour blasphème contre une association gay ayant produit une œuvre théâtrale sur la Vierge, il a regretté, à l'occasion du non-lieu qu'il a rendu, que la loi n'intègre pas le tort au sentiment des personnes. Preuve, s'il en était besoin, qu'il est des passés qui ont du mal à passer.

Un crépuscule byzantin néonazi

Le cas hellénique, le troisième et ultime de cette typologie, est sans doute le plus extrême puisque la législation, détaillée et coercitive, a repris toute sa force répressive ces dernières années. En Grèce, le délit de blasphème est condamné par l'article 198 du code pénal tel que réformé en 1951 : « 1. Celui qui, en public et avec malveillance, offense Dieu de quelque manière que ce soit, est puni d'une peine d'emprisonnement de deux ans. 2. Celui qui [...] manifeste en public, en blasphémant, un manque de respect envers le sentiment religieux, est puni d'une peine d'emprisonnement de trois mois. » L'article 199 prévoit les mêmes peines pour les mêmes délits commis envers les autres religions reconnues par l'État.

Cette extension n'est cependant pas l'indice d'une libéralité : la Grèce, dont la population compte 98,5 % d'orthodoxes, a subi la pression de l'Union européenne pour commencer à mieux traiter ses minorités, particulièrement religieuses, et singulièrement parmi elles les musulmans et les catholiques considérés comme des adversaires héréditaires. L'article 3.1 de la Constitution grecque, dont le préambule est une invocation liturgique à la Trinité, dispose que « la religion dominante en Grèce est celle de l'Église orthodoxe orientale du Christ ». Suite à diverses réformes, l'Église orthodoxe grecque, qui jouit d'un statut de personne morale de droit public, n'a plus titre d'Église d'État, mais d'Église nationale. Dans les faits, même s'il n'y a pas d'impôt cultuel, le gouvernement continue de financer la formation, les salaires et les retraites du clergé ainsi que l'entretien des lieux de culte.

Ce statut n'est pas sans raison sociologique, mais non plus historique. Après la chute de l'Empire byzantin, en 1453, l'orthodoxie a joué le rôle de garant de l'identité, de la langue et de la culture du peuple grec sous la domination des Ottomans. C'est elle qui a entrepris et soutenu la guerre d'indépendance de 1821 à 1829. Église et nation en Grèce participent en conséquence d'un même destin. Aussi les mesures prises par Bruxelles en 2001 contre une définition jugée par trop ethnico-religieuse de la citoyenneté, qui ont abouti à l'abandon de la mention « grec-orthodoxe » sur les registres de l'état civil et sur les cartes d'identité, ont-elles provoqué une vive émotion populaire. Néanmoins, la législation contre le blasphème est longtemps restée en sommeil. Elle n'a commencé à réapparaître qu'avec l'arrivée, pour la première fois depuis l'Indépendance, de migrants étrangers drainés par la chute du communisme puis les guerres d'ex-Yougoslavie et elle n'a surtout connu de véritable visibilité qu'avec la crise économique qui ravage la Grèce depuis 2008 et qui provoque une profonde instabilité institutionnelle et sociale.

C'est dans ce contexte que la république d'Hellade est devenue l'une des nations de l'Union où les procès pour délits de blasphème ont connu un subit aggravement, et ce quitte à ce que cette insistance sème un grand trouble tant au niveau international qu'au niveau national. Cette accélération s'est concentrée au cours de l'automne 2012. Le 21 septembre, à l'aube, Filippos Loizos, ce jeune scientifique âgé de 27 ans que nous avons évoqué précédemment, est arrêté à son domicile sur l'île d'Eubée. Il a caricaturé sur sa page Facebook le père Païssios, un moine athonite décédé en 1994, en pastitoio, du nom d'un plat grec typique à base d'un gratin de pâtes, alors que le défunt faisait l'objet d'une vénération populaire grandissante qui le mènera d'ailleurs à être canonisé en 2015. Le 12 octobre, à la suite d'émeutes devant leur théâtre à Athènes, le metteur en scène Laertis Vassiliou et deux des acteurs avec lesquels il s'apprête à monter la pièce *Corpus Christi* de l'Américain Terrence McNally sont arrêtés, au motif que l'œuvre, déjà fort contestée pour les mêmes raisons aux États-Unis, transpose le récit évangélique dans les milieux gays du Texas contemporain.

Instruites sous le chef d'accusation de blasphème, les deux affaires seront requalifiées en insulte à la religion avant d'aboutir à des condamnations à des peines symboliques et sursitaires. Concomitantes dans le temps, elles dépendent également, dans leur construction, d'un même schéma artificiel et manipulateur de provocation militante : dans les deux cas, c'est Chrístos Pappás, un député notoire du parti néonazi alors nouvellement apparu qu'est Aube dorée qui a agité pétitions et associations auprès du Parlement afin d'obtenir interventions policières et judiciaires. Depuis, Pappas a lui-même trouvé le chemin de la prison sous le coup de diverses inculpations, mais toutes autrement plus sérieuses, dont celle d'association de malfaiteurs. L'apparition de l'extrême droite comme vecteur de la plainte est évidemment significative d'une réaction identitaire crépusculaire. Mais celle-ci renvoie aussi à une situation politique et humaine désastreuse, signe que le blasphème demeure autant un révélateur sociétal que religieux.

Irish concession

Désormais, en Italie comme en Grèce, le délit de blasphème, qui reste inscrit dans la loi, concerne en théorie tous les cultes reconnus par l'État, mais ne sanctuarise en pratique que la seule religion nationale pour laquelle il a été initialement érigé. C'est que, historiquement, Dieu et l'État se légitimant l'un l'autre, toute atteinte à l'autorité de l'un vaut atteinte à l'autorité de l'autre. Aussi, en étendant ces dispositions à d'autres confessions et en les incluant en vertu d'une aspiration ou d'une concession démocratique à l'égalité, le législateur contredit-il le principe exclusif de vérité sur lequel a été édictée la loi et qui la justifie. Au lieu de procéder à la mutation réelle que requiert l'intraitable diversification du paysage religieux et qui impliquerait de substituer la laïcité à l'ancien principe sacré, cette juxtaposition de sacralités se révèle confuse et inefficace. Elle suppose de surcroît un juge qui, en théologien multicartes, ne méconnaîtrait aucune religion et saurait pour toutes ce qui, en chacune, pourrait ressortir du blasphématoire.

L'Irlande pourrait entrer sous ce modèle, à la différence près que la législation y est appliquée avec vigueur et que la protection accordée traditionnellement au christianisme y a été efficacement étendue au judaïsme et à l'islam. Le système irlandais de la concession a été ainsi fondé sur une traduction dynamique de l'interdiction du blasphème dans le langage de la sécularisation.

Une geste nationale inséparable de la christianisation de l'île, une population à 95 % catholique, une influence de l'Église telle que la libéralisation du divorce n'est advenue qu'en 1995 et que la dépénalisation de l'avortement demeure en suspens : l'Irlande a fort à faire avec l'Italie et la Grèce, jusque dans le préambule trinitaire de sa constitution et le dernier paragraphe de celle-ci, à l'article 40.6.1.i. : « La publication ou l'énoncé de propos blasphématoires, séditieux ou indécents est un délit qui sera puni conformément à la loi. » Les ressemblances s'arrêtent là. Car l'Irlande a tenté d'établir un modèle hybride sur ce point, comme sur tant d'autres, entre tradition et modernité. Sans doute est-ce pour être entré de plain-pied dans la globalisation économique que le « tigre celtique » a également consenti aux réquisits plus symboliques de la civilisation mondiale du Marché, à commencer par l'égalité de traitement des minorités. Aujourd'hui, l'eldorado capitaliste semble loin. Mais il reste de cette période une révision de la loi sur le blasphème de même qu'une mise en œuvre de cette révision qui demeurent significatives.

Ainsi que le dispose le texte de référence, le *Defamation Act*, 1961, n° 40, partie II : « Toute personne qui compose, imprime ou publie un écrit blasphématoire ou obscène, sera, en cas de condamnation de cela lors de la mise en accusation, passible d'une amende qui n'excédera pas 500 livres ou d'un emprisonnement ou des travaux forcés pendant un temps qui n'excédera pas sept ans. » Cette disposition a été maintenue, telle quelle, jusqu'en 2010, en essuyant les critiques réitérées des instances religieuses non catholiques et des défenseurs de la liberté d'expression pour son caractère restrictif. Le gouvernement irlandais, peu enclin à amender la Constitution pour un motif considéré comme mineur, a fini par opter pour une loi élargie à toutes les religions établies dans le pays.

Depuis le 1er janvier 2010, le *Defamation Act* précise dans sa section 36 que tout blasphème sera puni par une amende de 25 000 euros. Les formules blasphématoires sont définies de la manière suivante : « des propos grossièrement abusifs ou insultants sur des éléments considérés comme sacrés par une religion, et choquant ainsi un nombre substantiel de fidèles de cette religion ». L'intention est louable, la réalisation discutable.

Cette section 36 présente en effet diverses difficultés. Tout d'abord sur le fond : la Constitution irlandaise fonde son autorité sur la référence sacrée au christianisme dont elle se légitime et dont elle légitime en retour la protection ; dans le même temps, la loi élargit la condamnation du blasphème aux autres religions établies dans le pays sans pour autant modifier la Constitution. Ensuite il est d'importantes difficultés sur la forme qui tiennent toutes à l'imprécision de la loi. En effet, à partir de quel moment des propos deviennent-ils « grossièrement » abusifs et insultants ? Comment déterminer ce qui est considéré comme sacré par une religion ? Et comment mesurer le « nombre substantiel de fidèles » qui se sentent offensés ou choqués ?

Les réactions contestataires ont été immédiates. Dès la publication de la loi, l'association Atheist Ireland a publié vingt-cinq formules blasphématoires dans l'espoir d'être condamnée et de pouvoir mener l'affaire devant la Cour européenne des droits de l'homme. Cette provocation n'a pas eu de suites. Cependant, dès 2010, Harry Taylor, athée convaincu, qui a ostensiblement distribué des tracts portant des caricatures insultantes pour les chrétiens et les musulmans dans la salle de prière de l'aéroport John-Lennon de Liverpool a été condamné au nom de la nouvelle loi contre le blasphème pour avoir intentionnellement choqué des sentiments religieux à six mois de prison avec sursis et une amende. Il y va donc bien d'une hybridation puisque, sans avoir supprimé la loi originelle, liée à la notion de vérité objective et sacrée, l'Irlande s'est néanmoins rapprochée de la deuxième typologie, celle relative à l'ordre subjectif du ressenti d'autrui.

Protéger les croyants ?

Divers pays européens ont, quant à eux, pris le parti de condamner par une même disposition le blasphème en l'appliquant à toutes les religions connues ou reconnues sur leur territoire. Dans pareil cas, au lieu de procéder par la simple suppression de la forme archaïque ou par son élargissement, en ajoutant un article précisant que la loi concernant la religion d'État s'applique également à toutes les autres religions reconnues par l'État, le législateur décide d'adopter une seule et même loi qui vise à protéger l'ensemble des cultes concernés. Toutefois, ici, deux conceptions se font face. Certains pays s'attachent à défendre le sentiment religieux, d'autres, le sentiment religieux *et* philosophique – autrement dit toute forme de conviction ou de représentation symbolique, dont les croyances historiques, principalement monothéistes en l'occurrence, ne seraient qu'un mode.

Dans la première subdivision, on compte l'Autriche, dont l'article 188 du code pénal, intitulé « Humiliation du dogme religieux », énonce : « Celui qui ouvertement humilie ou ridiculise une personne, un objet de culte d'une Église existant dans le pays, un dogme religieux, une coutume autorisée par la loi ou un usage de telle Église ou société religieuse et qui, par sa conduite provoquerait de l'irritation, peut être puni d'une peine de prison jusqu'à six mois ou d'une amende jusqu'à trois cent soixante équivalents jours-salaire. » Le blasphème est ici pris au sens le plus large – humiliation d'une personne, d'un objet de culte, du dogme, d'une coutume, la loi spécifiant que l'irritation peut suffire à la condamnation.

C'est en vertu de cet article qu'Elisabeth Sabaditsch-Wolff a été condamnée au paiement d'une amende de 480 euros en 2011. Fille de diplomate, ayant vécu et travaillé pendant plusieurs années au Moyen-Orient, elle a critiqué, lors d'une conférence, la condition des femmes dans les pays arabo-musulmans, ainsi que la pratique du djihad en Iran et en Libye. Le tribunal a estimé que le droit à la liberté d'expression faisait qu'elle ne pouvait être incriminée pour propos incitant à la haine raciale. Toutefois, il a jugé que son affirmation selon laquelle Mahomet était un pédophile était diffamatoire et insultante envers l'islam. Une pareille résolution mérite cependant d'être mise en question tant les termes de ce procès semblent vouloir écarter le reproche de racisme, adressé par les plaignants à l'accusée, pour privilégier l'outrage religieux, et donc la confession comme référent identitaire, sans doute politiquement plus neutre. Pareille dérivation s'explique vraisemblablement par le souvenir du nazisme dans une Autriche où, de surcroît, l'Église catholique demeure puissante.

Tout comme l'Autriche, le Danemark protège du blasphème tous les corps religieux reconnus par l'État dans l'article 140 de son code pénal : « Celui qui publiquement raille, ou fait outrage aux doctrines de foi ou aux cultes d'une communauté religieuse légalement établie dans ce pays, est passible de prise de corps ou, en cas de circonstances atténuantes, d'une amende. Poursuite n'a lieu que sur demande du procureur général. » La loi n'est cependant plus appliquée. Le dernier procès, conclu par un acquittement, a eu lieu en 1971. L'année suivante, en 1972, une proposition visant l'abolition de cet article a été présentée au Parlement en 1972, mais n'a pas été adoptée. Il est vrai aussi que le Danemark n'a pas plus révisé la Constitution de 1953 qui fait de l'Église luthérienne une Église d'État, bénéficiant des prérogatives correspondant à son statut. Depuis règne le *statu quo*. La loi reste en réserve, comme par mesure de précaution dans un pays où, des caricatures du *Jyllands-Posten* en 2005 aux attentats de Copenhague en 2015, a prévalu l'ombre d'un djihadisme supposément vengeur d'offenses religieuses inexpiables autrement que par la mort.

Sur le fond, et hors des raisons circonstancielles qui la déterminent, cette posture attentiste n'est pas sans rappeler, au sein du territoire français, le cas de l'Alsace-Moselle, dépendante de l'héritage concordataire qui implique également des cultes reconnus et, à ce titre, soutenus. Selon l'article 166 du code local, qui reproduit en fait le code pénal allemand de 1861 : « Celui qui aura causé un scandale en blasphémant publiquement contre Dieu par des propos outrageants, ou aura publiquement outragé un des cultes chrétiens ou une communauté religieuse établie sur le territoire de la

Confédération et reconnue comme corporation, ou les institutions ou cérémonies de ces cultes ou qui, dans une église ou un autre lieu consacré à des assemblées religieuses, aura commis des actes injurieux et scanda-leux, sera puni d'un emprisonnement de trois ans au plus. » L'archaïsme ici domine, puisque le judaïsme fait partie des religions reconnues comme concordataires, à la différence de l'islam dont le statut reste mitigé.

Comme pour le Danemark, mais cette fois sous le poids du principe de laïcité, cette disposition demeure lettre morte. Si l'on ajoute à ces deux quasi-moratoires les embarras manifestes de l'Autriche à administrer sa propre législation contre le blasphème, il apparaît que ce sous-groupe, en voulant aménager son héritage par simple extension, aboutit à un résultat peu satisfaisant.

Le droit de l'athée

Peut-on protéger les sentiments religieux des croyants sans protéger les convictions de ceux qui ne professent aucune religion ? De fait, plusieurs pays européens entendent aussi garantir dans leur droit les agnostiques et les athées. En témoigne, par exemple, l'article 525 du code pénal espagnol : « 1. Seront passibles d'une peine de 8 à 12 mois ceux qui, pour offenser les senti-ments des membres d'une confession religieuse, feraient, publiquement, oralement, par écrit ou dans un document, un quelconque outrage à leur dogme, croyance, rites ou cérémonies, ou vexeraient, en public, ceux qui les professent ou pratiquent. 2. Seront passibles des mêmes peines ceux qui outrageront en public, oralement ou par écrit, ceux qui ne professent aucune religion ou croyance. » Ce texte peut sembler de premier abord contradictoire ou, en ambitionnant d'empêcher le prosélytisme et la polémique, risquer de stériliser tout débat. Il participe, à l'évidence, de la volonté de pacification de l'Espagne sortie du franquisme, mais gardant le pénible souvenir de la guerre civile. Pour autant, il montre précisément comment la réduction de la croyance à l'ordre du sentiment appelle un souci d'égalité : les incroyants aussi ont droit à la protection de leur intégrité psychologique.

Si, dans le code pénal espagnol, cette disposition fait l'objet d'un alinéa distinct, d'autres législations placent les croyances religieuses et les convictions philosophiques sur le même plan. Soit le législateur entend par là que croyants et incroyants déclarés relèvent en fait d'une même histoire et d'une même mentalité, sa finalité étant la paix civile, soit il considère que foi et athéisme ressortent du même phénomène de certitude invérifiable, sa finalité étant alors le respect des convictions. C'est le cas par exemple en Allemagne, où l'article 166 du code pénal prévoit que « 1) Toute personne qui, publiquement ou par diffusion d'écrits, insulte le contenu des convictions religieuses ou philosophiques d'autres personnes, et ce d'une manière apte à troubler la paix publique, sera punie d'emprisonnement jusqu'à trois ans ou d'une amende. 2) Sera punie de même toute personne qui, publiquement ou par diffusion d'écrits, insulte une Église existant dans le pays ou toute autre communauté religieuse ou association philosophique, ses institutions ou ses coutumes, d'une manière apte à troubler la paix publique. » On voit la flexibilité d'approche que promeut ce second sousgroupe. Il n'est pas sûr toutefois que cette double reconnaissance entraînant une égalité de traitement puisse pleinement satisfaire ceux à qui elle est censée s'appliquer : croyants et incroyants, selon toute vraisemblance, jugent que leurs convictions ne s'équivalent pas, voire sont antagoniques.

C'est là le problème plus général des deux sousgroupes de cette deuxième typologie qui regroupe donc l'Autriche, le Danemark, l'Espagne et l'Allemagne. Elle est sensiblement différente de la première, en ce que ces pays ne fondent pas leur légitimité, constitutionnellement tout du moins, sur une autorité religieuse. L'extension de l'interdiction du blasphème à toutes les religions apparaît donc moins comme une concession maladroite et tardive, que comme la recherche d'un véritable compromis. Or ce « compromis » pose problème à de nombreux égards.

Tout d'abord, et alors même que contrairement à la Grèce ou à l'Italie où il en va de la protection d'une vérité unique et sacrée, les pays de cette seconde typologie étendent l'interdiction du blasphème aux autres religions au nom de la protection des sentiments des croyants. Ils n'échappent pourtant pas à la référence purement religieuse, dans la mesure où cette protection ne vaut pas seulement en tant que protection d'une communauté, mais aussi du dogme qu'elle professe.

Ainsi toute offense au dogme chrétien, musulman ou juif est-elle une offense aux chrétiens, aux musulmans ou aux juifs, ce qui veut dire que l'État ne protège pas seulement des communautés, mais aussi des idées, voire des mentalités. Cette position ne va pas sans une certaine ambiguïté, car elle n'évacue pas le problème de la vérité, elle ne fait en réalité que reconduire implicitement le fait que la loi protège « des vérités ».

À ce premier problème s'ajoute celui de savoir quelles vérités l'État entend protéger. En effet, alors que le Danemark interdit tout outrage à une « communauté religieuse légalement établie dans le pays », l'Autriche, elle, protège toute « Église existant dans le pays », ce qui oblige à se poser la question de savoir ce qui constitue une Église à proprement parler. Est-ce une manière de désigner les églises « traditionnelles » ou bien de manière plus extensive toute croyance, mêlant indifféremment religions et sectes ? À qui d'ailleurs reviendrait une telle définition ? Selon toute vraisemblance, cet épineux arbitrage appartient au juge qui, bien loin de son rôle traditionnel d'interpréter la loi, doit désormais pouvoir souverainement déclarer ce qui relève ou non du religieux.

La passion égalitariste est encore plus forte en Espagne où les croyants sont protégés au même titre que « ceux qui ne professent aucune religion ou croyance », incluant agnostiques et athées. Cependant, c'est sans doute le cas de l'Allemagne qui reste le plus frappant, car il réserve le même traitement aux convictions religieuses et aux convictions « philosophiques ». La probable référence à la franc-maçonnerie, religion sécularisée par excellence, n'en est pas moins implicite et sème le trouble quant au fait de savoir si la loi doit défendre aussi bien les marxistes que les chrétiens. Cette dernière hypothèse, si elle se vérifiait, serait d'ailleurs d'une ironie parfaite, car elle sous-entendrait que la philosophie n'est qu'une croyance parmi d'autres dans le pays qui, depuis plus de quatre siècles, entend montrer que la légitimité du monde moderne trouve son fondement dans la Raison et l'émancipation de toute tutelle religieuse.

Hors de la laïcité, point de salut ?

C'est tout autrement, en acceptant pour présupposé qu'il n'y a pas de réelle égalité entre la croyance, les croyances et l'incroyance, mais qu'il peut et qu'il doit y avoir en droit une égalité des différences, c'est-à-dire des inégalités reconnues et traitées comme telles, que la troisième typologie se contente de viser la protection contre l'injure ou la diffamation à raison d'une appartenance religieuse donnée, laquelle peut être objectivable dans la sphère publique. Résolution qui n'est pas sans évoquer celle qui prévaut en France.

Ce bref tour de l'Europe et des typologies que l'on peut y discerner permet toutefois de voir que, hors les contingences historiques, la question du blasphème hante encore les législations, qu'elle n'a pas été abolie, mais qu'elle a été réinterprétée, comme si sa suppression totale était impensable. Et surtout qu'elle demeure entièrement suspendue à son ambivalence initiale : qui ou quoi protège-t-on en reconduisant, même de manière diluée, l'interdit du blasphème ? S'agit-il de garantir des contenus ou de prémunir des individus ?

Dans les cas de la Grèce et de l'Italie, non seulement la loi initiale n'a pas été abolie, mais elle a été maintenue dans sa forme initiale et l'extension de l'interdiction du blasphème aux autres religions représentées a pris la forme d'un *addendum* laconique. Cet *addendum* ne propose aucune traduction séculière : autrement dit le blasphème y est interdit pour ce qu'il est, c'est-à-dire du blasphème. La difficulté ici tient au fait qu'à l'argument démocratique, par essence autonome, de la liberté d'expression on oppose un argument religieux, par essence hétéronome, de l'offense à la Divinité. La dialectique sous-jacente de résolution des conflits selon la logique du moindre mal est par conséquent inaudible pour la démocratie. Car c'est bien la Divinité que, *in fine*, l'on protège. L'extension aux autres religions ne trouve donc aucun fondement, à part celui peut-être de complaire aux communautés minoritaires. Ce décrochage témoigne, en réalité, de la difficulté, peut-être de l'impossibilité sur laquelle bute la modernité achevée de désacraliser le pouvoir, de concevoir le politique sans le religieux, d'en finir avec Dieu, quand bien même il s'agirait du Dieu mort. Le blasphème joue ici le rôle de révélateur explicite d'une unique réalité qui prend des formes diverses : dès lors que l'État demeure le garant d'un certain ordre moral, la notion de vérité persiste, mais diffuse, relative, et ne gardant pour facteur de discrimination qu'il y a, de chaque côté d'une frontière variable, du sacré et du profane.

Les cas de l'Irlande, de l'Autriche, du Danemark, de l'Espagne et de l'Allemagne sont, quant à eux, plus complexes encore, puisque ces pays décident de jouer le jeu de la modernité sans se résoudre toutefois à pleinement s'y plier. Chez eux, la loi initiale a été abolie et remplacée par une version séculière qui en présente un fort accommodement. Le mot « blasphème » n'apparaît donc plus en tant que tel, il est décliné en raillerie, humiliation, offense au dogme, à la croyance, à la communauté. Or, l'outrage à une religion et l'outrage aux adeptes d'une religion sont-ils un seul et même outrage ? La différence est que des deux crimes le premier est sans victime, l'offense lancée contre le Dieu n'équivalant pas l'offense subie par l'homme. Les pays de cette deuxième typologie continuent donc d'interdire le blasphème, mais non pas en tant que blasphème. Pour l'Autriche, le Danemark et l'Espagne, il s'agit de punir le tort causé « au sentiment des croyants » ; pour l'Allemagne, celui commis « à l'encontre de la paix publique ». Ainsi à l'argument démocratique de la liberté d'expression se superposent d'autres arguments démocratiques au sens où ils s'ordonnent à l'altruisme partagé : le blasphème n'est pas interdit en soi, mais en raison de ses répercussions. On ne saurait mieux dire, sans y avoir pensé, combien il est pure fonctionnalité !

La dernière typologie, la troisième, dont relève la France qui est par ailleurs seule à l'illustrer, entend donc neutraliser la question en l'intégrant au registre plus large de la provocation à la haine et à la violence, ou encore de la diffamation et de l'injure en raison de l'appartenance à une religion déterminée. Cette résolution pourrait être dite de laïcisation si elle ne dépendait en fait d'une hyperlaïcisation : non seulement le terme de blasphème est entièrement absent de la loi, mais la loi elle-même ne vise qu'à protéger des personnes réelles, identifiées selon des critères objectifs d'adhésion vérifiée, et non pas des appareils symboliques ou des entités abstraites.

6. EN PASSANT PAR BRUXELLES

Une cour normative

C'est dans la logique de l'Union que de se doter d'institutions supranationales dont on ne sait au nom de quelle légitimité elles agissent, mais dont on connaît la propension aux dérives technocratiques. Sans donc oublier Bruxelles, Strasbourg, ainsi que leur prétention à juger des droits de l'homme pour l'ensemble des pays membres et pour chacun d'entre eux, que déduire, au regard de ce bref tour des législations sur le blasphème, de l'état réel des libertés, dont celle d'expression, au sein de l'Europe ?

Dans certains cas, l'indigence des procédés incline à penser qu'il y a eu au mieux volonté d'ajuster la langue de l'ancien monde monoculturel sur celle des nouvelles sociétés multiculturelles par simple ajout de formules, sans calculer les insuffisances et contradictions d'un tel replâtrage. Dans d'autres cas, c'est la pauvreté de la réflexion épistémologique qui transparaît puisque la répression des atteintes aux sentiments des croyants bute sur la double difficulté de définir ce qu'est un sentiment et ce qu'est un croyant. Enfin, l'adoption d'un processus de radicale déconfessionnalisation ne suffit pas à garantir une démocratie ouvertement libérale, fondée sur le débat et l'échange d'idées, qu'un manque symbolique trop marqué pourrait au contraire stériliser, voire faire aboutir, selon le mot de Guy Haarscher, le syndrome du loup dans la bergerie : « L'adversaire des droits de l'homme (le loup) se déguise en défenseurs de ces derniers (le mouton), rendant le travail critique d'autant plus difficile. »

Or ces pays, quelles que soient les reconfigurations du blasphème qu'ils ont pu élaborer et si diverses soient-elles, ont néanmoins en commun un impératif : accepter les décisions prises en la matière par la Cour européenne des droits de l'homme (CEDH) auxquelles ils ne peuvent que se soumettre, quitte à devoir réviser en conséquence et à proportion leurs propres considérations, approches et résolutions du problème.

Sans doute faut-il bien comprendre, au préalable, qu'une action peut être intentée à la Cour européenne des droits de l'homme par tout État signataire de la Convention éponyme, par toute organisation non gouvernementale, par toute personne physique qui se pense victime directe, indirecte ou potentielle d'une violation desdits droits résultant d'un manquement d'un des États signataires, à la condition que cette personne physique ait épuisé toutes les voies de recours dans son propre pays. Hors l'acquittement des pénalités financières qui est obligatoire, une décision rendue par la CEDH n'a pas nécessairement à être appliquée dans le pays incriminé et condamné, qui doit cependant y voir une incitation à changer sa législation. Pour autant, les décisions de la Cour, prises dans leur ensemble, donnent le ton de l'interprétation et de la réinterprétation européenne de la doctrine des droits de l'homme.

Ce travail juridique s'accompagne également, et inévitablement, de l'établissement de nouvelles normes qui divisent les pays européens, quand il ne s'agit pas de concepts innovants et appelés à défrayer la chronique. Cela est vrai des politiques de sécurité auxquelles la Cour impose comme limite le respect de la vie privée ou encore des orientations bioéthiques sur les mutations de mœurs, dont l'euthanasie ou la gestation pour autrui que la Cour borde de la notion morale de dignité humaine.

La liberté d'expression n'échappe évidemment pas à cette logique de requalification dont la nécessité de produire un seul discours audible par tous les pays européens est le premier critère. Or, de manière surprenante pour ceux qui redoutent une américanisation des mentalités par une libéralisation du droit, la liberté d'expression ne constitue pas un principe en soi absolu et total pour la Convention européenne des droits de l'homme qui détermine, au contraire, qu'elle peut faire l'objet de restrictions et de sanctions dans un certain nombre de cas. Aussi la Cour a-t-elle dû, à son tour, interpréter et traduire la Convention afin de faire face à l'éventualité d'une interdiction ou d'une condamnation du blasphème et, là encore, en vertu de sa mission, de produire une norme.

Difficile concile d'amour

La décision la plus célèbre et la plus controversée de la Cour européenne des droits de l'homme en matière de blasphème demeure l'arrêt Otto-Preminger-Institut contre Autriche en date du 20 septembre 1994. L'affaire débute à Innsbruck, capitale du Tyrol autrichien, une décennie ou presque plus tôt. L'association Otto-Preminger, qui a pour vocation de diffuser des films d'art et d'essai, souhaite projeter une œuvre du réalisateur Werner Schroeter dans un des cinémas de la ville. Le film raconte la vie de l'écrivain et dramaturge Oskar Panizza, condamné pour blasphème par la cour d'assises de Munich en 1895 au titre de sa pièce fortement anticatholique *Le Concile d'amour*.

Cette dernière œuvre fait en effet de Dieu le Père un vieillard impotent, du Christ, un jeune handicapé mental, et de Marie, une débauchée et libertine. L'intrigue tourne autour du pacte que ces trois personnages vont sceller avec le Diable afin de répandre la syphilis sur terre et punir les hommes de leurs péchés. Le dramaturge est condamné à la prison. Il faudra attendre 1969 pour que la pièce soit jouée pour la première fois, à

Paris, dans une mise en scène de Jorge Lavelli. Le film de Werner Schroeter, réalisé en 1982, entrecoupe la biographie d'Oskar Panizza, dont son procès, et des scènes de la pièce, reproduite dans son intégralité. Projeté dans plusieurs villes autrichiennes, il a déjà donné lieu à diverses manifestations de mécontentement, mais c'est à Innsbruck que l'affaire va prendre une tournure judiciaire.

Prévenue, l'association Otto-Preminger, qui a programmé le film pour sa saison d'hiver 1984-1985, a procédé avec prudence. L'information a, bien sûr, été envoyée aux adhérents et des prospectus ont été distribués en ville, mais les séances ont été programmées en soirée, à partir de 22 heures, et le film interdit aux moins de 17 ans. Il n'y a donc pas de caractère intrusif à la projection de ce film, selon la notion inspirée directement des États-Unis qui en fait dépendre le niveau de protection de la liberté d'expression des médias, la radio et la télévision étant jugées plus durement et plus souvent condamnées que la presse écrite, car plus accessibles et surtout présentes au sein de la cellule familiale. Le 10 mai 1985, le diocèse de la ville porte néanmoins plainte contre l'association, sur la base de l'article 188 du code pénal interdisant le blasphème. Le jugement condamne l'association Otto-Preminger et le film est interdit en Autriche, au motif qu'il porte atteinte aux sentiments des croyants.

Après avoir épuisé toutes les voies de recours internes en Autriche, l'Institut Otto-Preminger se tourne vers la Cour européenne des droits de l'homme, siégeant à

Strasbourg. La première étape est d'examiner si le jugement établi par l'Autriche est légal, ce qui est le cas, par conformité à l'article 188 du code pénal. Ensuite, la Cour doit établir s'il y a oui ou non, au regard de la Convention européenne des droits de l'homme, un but légitime en l'espèce au fait d'imposer une limite à la liberté d'expression. Concentrons-nous sur la notion de but légitime. La liberté d'expression est régie par l'article 10 de la Convention : « Toute personne a droit à la liberté d'expression. Ce droit comprend la liberté d'opinion et la liberté de recevoir ou de communiquer des informations ou des idées sans qu'il puisse y avoir ingérence d'autorités publiques et sans considération de frontière. » Le deuxième paragraphe de la loi précise : « L'exercice de ces libertés comportant des devoirs et des responsabilités peut être soumis à certaines formalités, conditions, restrictions ou sanctions prévues par la loi, qui constituent des mesures nécessaires, dans une société démocratique, à la sécurité nationale, à l'intégrité territoriale ou à la sûreté publique, à la défense de l'ordre et à la prévention du crime, à la protection de la santé ou de la morale, à la protection de la réputation ou des droits d'autrui. » Il n'y a pas dans la loi européenne de condamnation possible du blasphème car l'objet n'y est pas reconnu ou catégorisé. La Cour doit par conséquent trouver elle-même une analogie conforme à la Convention.

Des buts légitimes

Ce n'est pas à partir des intentions ou des moyens, mais à partir des fins que la Cour va statuer. En vertu de ce renversement, elle détermine un périmètre de légitimité qu'elle distribue selon trois buts : la défense de l'ordre, la protection de la morale et la protection des droits d'autrui. Ce faisant, elle accomplit, ce qui n'a été perçu ni alors ni depuis, le transfert le plus décisif qui puisse être de la sphère religieuse à la sphère séculière. À ne pouvoir limiter la liberté d'expression pour cause de blasphème, la Cour doit en effet faire appel à des restrictions conformes à la Convention. Une fois ces restrictions identifiées, le choix qui en ressort n'est plus entre un discours religieux (condamner un blasphème) et un discours laïcisé (autoriser un blasphème), mais entre deux interprétations différentes des droits de l'homme, l'une absolue (liberté inconditionnelle), l'autre relative (liberté conditionnelle). Le conflit devient donc un conflit « systémique » entre deux droits qui se situent sur le même plan, sans en appeler à aucun principe extérieur et transcendant, mais en se situant au contraire en miroir d'autrui. Si la limitation de la liberté d'expression en ressort acceptable, c'est qu'elle est limitée au nom même de ce par quoi elle est définie, à savoir les droits de l'homme.

Dès lors, de quelle manière la Cour détaille-t-elle les buts légitimes qui sont aptes à limiter la liberté d'expression ? Tout d'abord, pour ce qui est de la protection des droits d'autrui, la Cour l'entend comme le « droit au respect des sentiments religieux » qu'elle rattache au principe de la liberté religieuse mentionné à l'article 9 de la Convention. Néanmoins, se pose alors la question du nombre et de la qualité. Combien d'individus doivent-ils se sentir atteints dans leurs sentiments religieux afin que l'offense soit reconnue ? Pourquoi les sentiments religieux auraient-ils besoin d'être plus protégés que les autres ? Pourquoi, si les sentiments religieux sont protégés, ne pas protéger les convictions philosophiques ? Pourquoi ne pas protéger aussi les communautés d'élection autres que religieuses ? Et qu'est-ce que signifie respecter un sentiment religieux ?

Vient consécutivement la question de la protection de la morale. L'article 9 de la Convention, intitulé « Liberté de pensée, de conscience et de religion », précise : « Toute personne a droit à la liberté de pensée, de conscience et de religion ; ce droit implique la liberté de changer de religion ou de conviction, ainsi que la liberté de manifester sa religion ou sa conviction individuellement ou collectivement, en public ou en privé, par le culte, l'enseignement, les pratiques et l'accomplissement des rites. » La loi permet donc à chacun d'avoir des convictions et de les exprimer. N'est-ce pas convenir en conséquence que chacun a le droit de définir sa propre morale à partir du moment où il reconnaît ce droit à autrui ? Cela ne signifie-t-il pas que la Convention rend possible, selon le mot de Guy Haarscher, « un pluralisme des conceptions morales » ? Mais comment peut-elle, dès lors, limiter la liberté d'expression au principe unique qu'elle désigne elle-même du vocable singulier de « morale » ? Et si une telle entité existe, de quelle morale en pratique parle-t-on ? Quel relativisme la Cour a-t-elle endossé en créant la notion de *marge d'appréciation*, en vertu de laquelle les autorités nationales et régionales sont plus aptes à juger des valeurs éthiques en cours sur un territoire donné ? Ce qui revient à contextualiser l'appréciation, mais aussi à relativiser le principe.

Enfin vient la question de la protection de l'ordre public. La Cour évoque ainsi un « besoin social impérieux » de protéger d'une part les sentiments religieux d'une population donnée, mais aussi de sauvegarder plus généralement la « paix religieuse » de tous. Dans le cas du Tyrol autrichien, parler de sauvegarde de l'ordre public et de la « paix religieuse » ne paraît-il pas excessif ? Une identité religieuse est-elle nécessairement en danger permanent de devenir meurtrière ? Les relations entre groupes religieux ou entre ces derniers et d'autres groupes, non religieux, débouchent-elles forcément sur une forme latente ou incendiaire de guerre civile ? Ou faut-il au contraire admettre que la part religieuse est à son plus bas et la part politique à son plus haut lorsque des affaires touchant au blasphème suscitent de tels déchaînements de violence ?

Heurter, choquer, inquiéter ?

Si des trois buts légitimes retenus par la Cour aucun ne paraît parfaitement satisfaisant, l'arrêt conclut cependant que la décision de l'Autriche ne viole en rien le principe de liberté d'expression affirmé par l'article 10 de la Convention. Il n'y a donc pas lieu de mettre en cause le jugement tel qu'il a été acté. Le film n'a pas été condamné parce qu'il était blasphématoire, reste que le film a été condamné. La traduction dans le langage des droits de l'homme a donc permis d'énoncer un discours démocratiquement « raisonnable », « audible » et « recevable » consistant néanmoins à entériner l'interdiction d'un film qui constituait, pour les catholiques d'Innsbruck, un blasphème.

Dans son jugement, la Cour européenne des droits de l'homme se réfère cependant à un autre arrêt d'importance relativement à la liberté d'expression ; il s'agit de l'affaire *Handyside contre Royaume-Uni* qui avait fait date en 1976. Éditeur britannique d'ouvrages populaires, Handyside se distingue en publiant un manuel d'éducation sexuelle traduit du danois, *The Little Red Schoolbook*. Condamné pour obscénité et incitation à une sexualité précoce au Royaume-Uni, le livre est confisqué, pilonné et l'éditeur contraint de payer une lourde amende. La Cour européenne, sommée de trancher, retient comme but légitime la protection de la morale et admet qu'il n'y a pas eu violation de l'article 10 de la Convention par Londres, mais précise cependant, dans un paragraphe resté célèbre, que « la liberté d'expression vaut non seulement pour les "informations" ou "idées" accueillies avec faveur ou considérées comme inoffensives ou indifférentes, mais aussi pour celles qui heurtent, choquent ou inquiètent l'État ou une fraction quelconque de la population. Ainsi le veulent le pluralisme, la tolérance et l'esprit d'ouverture sans lesquels il n'est pas de "société démocratique" ». Effectivement, les propos qui n'inquiètent personne ne sont guère susceptibles d'être censurés. La Cour prend ainsi ouvertement parti, en 1976, en faveur de la liberté d'expression dans sa conception la plus libérale.

Que s'est-il passé entre l'arrêt Handyside contre Royaume-Uni de 1976 et l'arrêt Otto-Preminger contre Autriche de 1994 ? En 1994, lorsque la Cour légitime le jugement de l'Autriche, elle prétend ne pas abandonner la jurisprudence Handyside qu'elle cite d'ailleurs de manière extensive. Face à un paradoxe qu'elle ne considère qu'apparent, la Cour impose alors une distinction. Oui, la Convention protège les idées ou les informations qui « heurtent, choquent ou inquiètent », mais seulement quand celles-ci contribuent à « un débat d'intérêt public », autrement dit quand elles ne sont pas « gratuitement offensantes ». Dans le cas de l'affaire Otto-Preminger, la Cour juge que l'offense, gratuite, « ne contribue à aucune forme de débat public capable de favoriser le progrès dans les affaires du genre humain ».

Cependant, trois juges, Mme Palm et MM. Pekkanen et Makarczyk, exposent une opinion dissidente qui est consignée, comme il se doit, à la fin du jugement : « Il ne devrait pas être loisible aux autorités de l'État de décider si une déclaration donnée est de nature à "contribuer à aucune forme de débat public capable de favoriser le progrès dans les affaires du genre humain" ; semblable décision ne peut que subir l'influence de l'idée que se font les autorités du "progrès". » Ils y ajoutent cette autre contestation quant à l'idée selon laquelle la démocratie ne peut tolérer que des contradictions qui entrent dans le cadre du débat démocratique et, de là, affirment que « la Convention ne garantit pas explicitement un droit à la protection des sentiments religieux. Plus précisément, semblable droit ne peut être dérivé du droit à la liberté de religion qui, en réalité, inclut un droit d'exprimer des vues critiquant les opinions religieuses d'autrui », ce qui revient à dire qu'on ne saurait confondre la liberté de conscience et le respect des consciences.

Un test démocratique

Plusieurs arrêts ultérieurs de la Cour européenne des droits de l'homme entérineront l'arrêt Otto-Preminger, cette insistance lui conférant par-delà sa valeur jurisprudentielle une qualité proche de la doctrine. Parmi ces décisions et jugements, l'arrêt Wingrove contre Royaume-Uni de 1997 est particulièrement significatif. Nigel Wingrove, producteur anglais de son état, est le scénariste et le réalisateur d'un court-métrage de dix-huit minutes intitulé *Visions of Ecstasy*. Le film montre une religieuse, identifiée comme sainte Thérèse d'Avila, réalisant divers fantasmes sexuels avec le Christ en Croix. En 1996, le British Board of Film Classification lui refuse le certificat de distribution au motif que le film est blasphématoire. L'affaire remonte jusqu'à la House of Lords, qui confirme la condamnation au motif que le film est obscène et représente une atteinte à la religion.

Nigel Wingrove s'adresse alors à la Cour de Strasbourg, arguant du fait que la difficulté à définir ce qu'est un blasphème rend la loi anglaise inapplicable et que sa condamnation va à l'encontre de l'article 10 de la Convention. Le jugement de la Cour, qui considère qu'il n'y a pas eu violation de la Convention, est rendu en 1997. Il statue que la Cour n'a pas vocation à déterminer abstraitement la compatibilité d'un droit déterminé avec la Convention. Le paragraphe 42 précise : « La Cour reconnaît que le délit de blasphème ne saurait, de par sa nature même, se prêter à une définition juridique précise. Les autorités nationales doivent dès lors se voir accorder la flexibilité leur permettant d'apprécier si les faits de l'espèce relèvent de la définition admise pour cette infraction. »

Cet arrêt est similaire sur le fond à l'arrêt Otto-Preminger de 1994 dont il confirme la valeur de test et de patron : « Dans le contexte des croyances religieuses, peut légitimement figurer l'obligation d'éviter autant que faire se peut des expressions qui sont gratuitement offensantes pour autrui et profanatrices. » Ce qui permet de reconduire la question de la contribution ou non de l'œuvre à un débat d'intérêt général. Mais l'arrêt Wingrove contre Royaume-Uni présente toutefois une singularité. Tout d'abord, dans une opinion concordante, le juge Pettiti, après avoir interrogé les buts légitimes invoqués par la Cour, affirme que « l'article 9 n'est pas en cause dans le cas d'espèce et ne peut être utilisé ». Ce qui revient à dissocier la protection des sentiments religieux de la protection de la liberté religieuse. Ou, si l'on préfère, la subjectivité des croyants de l'objectivité du culte. Cette distinction est en effet cruciale.

Deux arrêts successifs à l'arrêt Wingrove, par ailleurs tous deux liés à l'islam et à la Turquie, nous montrent que la valeur de test accordée à l'arrêt Otto-Preminger devient essentielle, mais plus encore courante, voire usuelle dans les jugements émis par la Cour européenne des droits de l'homme. C'est le cas tout d'abord de l'arrêt I.A. contre Turquie en 2006. Le requérant, I.A., est directeur de la maison d'édition franco-turque Berfin, condamnée pour avoir publié le roman *Les Phrases interdites* d'Abdullah Rıza Ergüven. Ce roman met en scène un Mahomet débauché et pervers qui encourage zoophilie et nécrophilie. Alors que, selon l'arrêt Handyside, la Cour entend protéger les propos qui « heurtent, choquent ou inquiètent », le roman ne passe pas le test Preminger. L'ouvrage est considéré comme gratuitement offensant envers les musulmans, et les juges se prononcent en faveur de la Turquie. La même année, une autre affaire parvient à la Cour de Strasbourg : c'est cette fois l'affaire *Tatlav contre Turquie*. Aydin Tatlav est l'auteur d'un ouvrage fortement critique en cinq volumes, intitulé *Le Vrai Visage de l'islam*. Le premier tome, paru en Turquie en 1992, *Le Coran et la Religion*, a été condamné comme blasphématoire par la Turquie. Les juges se prononcent en faveur du requérant. Se référant à l'arrêt Handyside, ils considèrent qu'il y a eu violation de la Convention, dans la mesure où les propos de Tatlav ne constituent pas une offense gratuite, mais proposent une approche « scientifique » de la question et contribuent à un débat d'intérêt général. Ainsi la frontière apparaît-elle nette *a posteriori*, à défaut de sembler sûre *a priori*.

Le tournant de la sécularisation

Alors même que la Cour prétend protéger les propos qui « heurtent, choquent ou inquiètent », elle n'affirme pas moins que ces mêmes propos peuvent et doivent être condamnés lorsqu'ils sont gratuits, c'est-à-dire lorsqu'ils sont inassimilables au principe d'utilité ou à une positivité assurée. Toutes les œuvres conflictuelles débattues à la Cour de Strasbourg sont en conséquence soumises à un « test » que l'on pourrait qualifier, sans rire, de productivité démocratique et qui légitime, ou non, leur appartenance en quelque façon naturelle à la sphère des droits de l'homme.

Or ce « test » ne va pas sans poser problème, car il reconduit implicitement, selon la même logique embarrassée qui préside aux législations nationales de nombre de pays européens, à une prohibition du blasphème qui, au sens propre, ne dit pas son nom. Le guichet paraît clair : la critique « constructive » n'est pas condamnée, l'offense gratuite est condamnée. L'est-il autant qu'il est prétendu l'être ? Rien n'est moins sûr.

Dans l'arrêt I.A. contre Turquie, c'est bien de la condamnation d'un blasphème qu'il s'agit, puisque l'ouvrage insulte la figure de Mahomet, de manière assurément outrageante, sans que soient offensés de front ni le dogme professé par Mahomet ni la communauté créée par Mahomet et encore moins les musulmans qui se veulent les disciples de Mahomet.

Ce glissement est exactement ce que cache et dérobe au regard l'actualité en ce qu'elle a de vertigineux. La condamnation unanime, par l'opinion européenne, de la fatwa intolérable contre Salman Rushdie, de la fatwa inconcevable contre Charb, des fatwas insupportables et sans nombre prohibant le blasphème au sein de régimes liberticides, se heurte inlassablement au fait que la question du blasphème continue de hanter les rédactions des médias européens, les parlements des gouvernements européens, et les tribunaux des juridictions européennes, et ce, jusque dans le sanctuaire de la conception libérale des libertés qu'aime la Cour européenne des droits de l'homme.

Comment expliquer cette opacité de l'inconscient qui contraste violemment avec une conception de la culture qui se veut lumineuse d'ouverture et d'immédiateté ? La première hypothèse renverrait à une difficulté fondamentale du cerveau reptilien, à une forme d'impuissance à supprimer les lois contre le blasphème en raison d'une relation magique à la démocratie qui nécessiterait elle-même d'être sacralisée. La deuxième hypothèse renverrait au contraire à un mouvement de sécularisation trop autonome et trop extérieur pour être pensable mais qui, reposant sur la transformation furtive de l'outrage à la divinité en offense à l'humanité, aboutirait à sacraliser la cohésion et la paix publique, autrement dit la civilité.

La séquence de ces deux glissements, passant chacun d'une forme religieuse à une forme séculière, est-elle valide ? Le blasphème ne souffre-t-il pas d'abord d'un manque congénital plus encore que conjoncturel de définition ? Est-il si important, comme l'actualité internationale et la mode germanopratine semblent vouloir en convaincre tout un chacun, de déterminer si la seule représentation du Prophète Mahomet constitue un blasphème en soi alors que, historiquement, diverses traditions offrent des réponses contradictoires à ce sujet et que, juridiquement, le magistrat n'a pas à être placé dans cette position de théologien qu'il n'est ni prêt ni prompt à assumer ? Ne vaut-il pas mieux renoncer, en fait et une fois pour toutes, à la notion de blasphème objectif ?

Ce blasphème objectif est d'autant plus problématique qu'il constitue un crime sans victime au regard d'une sécularisation sans transcendance. Plus il prétend à être objectif, plus en fait il se révèle subjectif car c'est à ce point de rencontre que s'opère la substitution : la victime n'est plus la Divinité, mais la communauté dont la Divinité a été offensée et, par là, la communauté divinisée. Alors que, dans l'ancien monde, le blasphème n'engage que deux protagonistes : d'un côté Dieu ou le Prince hiératique, de l'autre le blasphémateur ou le possédé rebelle, le monde contemporain introduit un tiers, qui est le croyant humilié. L'invention de la « victime du blasphème » n'est pas inattendue en une période de rivalité mimétique et, précisément, de victimisation. Elle suit également un processus bien connu de sécularisation que l'on retrouve dans le passage des sociétés religieuses articulées à la verticalité aux sociétés démocratiques soumises à l'horizontalité. Cette généalogie n'est pas seulement spéculative. Elle permet de mettre au jour une véritable ruse de la raison juridique qui est censée devenir une réalité psychologique pour les croyants qui se sentent, à juste titre ou non, dépossédés de l'exercice politique, mis au banc de la société, suspectés en leur être même. L'accusation d'offense aux sentiments des croyants devient donc une arme de combat redoutable pour tous les particularismes qui entendent œuvrer à leur reconnaissance au sein de sociétés européennes déboussolées par la perte de leurs repères d'identité ou longtemps crus tels. Cela parce que nous ne savons plus ce qu'est le blasphème. Ou plutôt, à en ignorer l'histoire longue, nous méconnaissons qu'il n'est pas affaire de contenu, mais de fonction.

II

Une histoire fonctionnelle

1. QUESTION DE VOCABULAIRE

Retour au mot

Que savons-nous au juste du blasphème, sinon qu'il persiste aujourd'hui comme hier à hanter les consciences ? Sinon qu'il inspire un double rejet ? Sinon que celui qui croit au ciel et que celui qui n'y croit pas ne veulent ni l'entendre être proféré, ni en entendre parler, quoique pour des raisons opposées ? Sans doute un esprit positiviste pouvait-il croire, à la fin du XIXᵉ siècle, qu'il en irait du blasphème comme de la religion et que tous deux disparaîtraient sous l'avancée du progrès. Sans doute un esprit sceptique voudrait-il croire, en ce début de XXIᵉ siècle, qu'il en va de la résurgence du blasphème comme de la revanche du religieux et que tous deux procèdent du retour de l'obscurantisme. Les mots ayant leur histoire, il arrive que le recours intensif à l'étymologie renseigne mieux sur les permanences anthropologiques que ne le font les descriptions sociologiques.

C'est le cas pour ce nom commun qu'est en français « blasphème » et qui, depuis l'origine, est certes d'un usage en principe sacré, mais ne revêt pas moins, en pratique, une valeur profane. Ce ne serait donc ni dans la sphère spirituelle ni dans la sphère temporelle qu'il faudrait chercher les raisons de la prégnance du blasphème, de son étonnante capacité à se régénérer, culture après culture, et à revenir, d'âge en âge, mais dans l'entre-deux. Autrement dit, la question serait d'ordre proprement théologico-politique.

Blasphêmia, le grec sur lequel vient se greffer le français à l'instar des autres langues indo-européennes, renvoie indiscutablement à l'univers du culte, du rite, du sacrifice, et à ce qu'il est interdit soit d'y dire, soit d'en dire. Alors qu'*euphêmein*, son antonyme, désigne la consécration retenue, la supplication exacte, la prédiction heureuse, *blasphêmein* revient à émettre inconsidérément une invocation interdite, à prononcer inopinément une prière inconnue, à énoncer illégitimement une prophétie de mauvais augure. Mais c'est aussi, de manière usuelle, étymologie dans l'étymologie, lancer une insulte : *blaptein - phama* équivaut précisément à « porter atteinte à une réputation » ou, plus anciennement, « léser le nom par la parole », ce que corroborent les racines concurrentes *blax*, « fauter impulsivement » ou *ballein*, « frapper d'un projectile ». Ainsi, par-delà l'acception religieuse, le blasphème désigne-t-il d'ores et déjà la médisance qui fait offense. La parole qui damne et la parole qui diffame sont dès lors liées : qu'il s'agisse des dieux ou des hommes, il y a disruption de l'ordre, division du sens, distribution frontale des acteurs : le blasphème est séditieux, sa répression fédératrice.

Sur l'autre versant de notre héritage, l'hébreu biblique ne se distingue guère du grec classique : *giddouf* et *ne'at-sah* signifient littéralement « reprocher, mépriser », tandis que le vocabulaire connexe, qu'il s'agisse de *qalal*, « tailler », ou de *naqab*, « perforer », évoque la même dialectique du tranchant et du retranché. De surcroît, bien que tentée d'en réserver l'usage au seul être divin, la langue de la Torah applique également le terme aux relations humaines. Ainsi le blasphème, tel qu'il apparaît dans les codes législatifs, à commencer par le Lévitique, ressort-il comme l'irruption inattendue et inadmissible d'une parole doublement transgressive en ce que, niant la loi transcendante, elle conteste le lien social que celle-ci ordonne et garantit.

C'est ce qu'acte la Bible hellénisée des juifs d'Alexandrie qu'est la Septante et dans laquelle *blasphêmia* se dit aussi bien de la désacralisation du Nom ineffable que de la discordance d'un propos arrogant. Le Nouveau Testament se contente de reprendre le terme en ses divers sens avant de le faire adopter, tel quel, par le latin après la conversion de Rome au christianisme. L'idiome de Caton l'Ancien n'ignore pas toutefois un *maledicere* pendant à un *benedicere* qui s'appliquent tous deux aux domaines sacré et profane. Le latin impérial, expression fidèle de la religion civile des Césars, va cependant relier les deux sphères en agrégeant à cet ensemble la catégorie juridique de la *diffamatio* : le fait de proférer l'*injuria* est cause d'un dommage plus essentiel que supposé car la violence ainsi répandue viole la loi fondamentale, écrite ou non écrite, en outrageant la sacralité qui lui confère force de règle.

Ce sont ces divers sens que le bas latin transmettra aux langues romanes, lesquelles ne cantonneront pas *blasphêmia* au seul usage ecclésiastique qu'illustrera intensivement en 1251 le quatrième concile du Latran, préoccupé d'éradiquer les cathares, de bannir les juifs et les mahométans ainsi que de relancer la croisade. Le *blasphemeor*, celui qui peste et qui profane, et le *blasmeor*, celui qui reproche et qui réprimande, commencent à se distinguer, ouvrant la voie au mot dérivé qu'est blâmer et qui s'appliquera au seul cercle des relations familières. Par contre-effet, le blasphème s'étend nommément, sans perdre sa connotation sacrée, aux champs de l'insulte et de l'imprécation. Ce train de sécularisation va marquer l'évolution du mot en français et par-delà.

Une mutation universelle

Antoine Furetière, dans son *Dictionnaire*, souligne cette ambivalence : blasphémer, c'est « blesser l'honneur », qu'il s'agisse de celui des dieux ou de celui des hommes. Dans leurs propres travaux, les Immortels vont rendre compte de ce mouvement de sécularisation qui avance à grand pas et qui aboutira dans un premier temps à neutraliser le fait religieux, à le naturaliser ensuite. Selon la définition première de 1694, contemporaine de la révocation de l'édit de Nantes, la « parole impie » inclut tout « discours tenu contre l'honneur de Dieu » mais aussi, et plus indistinctement, « contre les choses divines et sacrées ». Dans l'édition de 1762, alors que la publication de l'*Encyclopédie* bat son plein, l'« honneur » qui doit être rendu à Dieu s'efface derrière le « respect » qui lui est dû. En 1798, alors que vient d'échouer l'instauration du culte décadaire, c'est au tour de la qualification d'impiété de disparaître au bénéfice de la description plus impersonnelle d'une « parole qui outrage la Divinité, ou qui insulte la Religion », tandis que la popularisation du terme oblige à mentionner qu'il se dit également « par exagération familière pour : discours injuste, indécent, déplacé ». Ce double sens est repris en 1835 et en 1935 avec, pour seul amendement notable, dans les suites de la loi de 1905, un « r » minuscule porté à « religion ». L'édition en cours du *Dictionnaire de l'Académie française*, neuvième en titre, reprend au mot près la définition générale précédente et précise la seconde qui cesse d'être taxée d'exagération : « Par extension, discours ou propos injuste, déplacé, qui outrage une personne ou une valeur unanimement respectée et tenue pour sacrée », non sans donner pour exemple déjà désuet les « blasphèmes contre la patrie ».

C'est bien ce mouvement double, de rétractation puis d'extension de la signification du mot blasphème, que signalent les autres dictionnaires. Dès l'édition *princeps* de 1872, le *Littré* entérine l'amplification relevée par l'Académie et, aux « paroles qui outragent la Divinité, la religion », juxtapose tout « propos qui outrage » sans plus de précision quant à l'objet ou la circonstance. Prévenant qu'il s'agit d'une « exagération », mais poursuivant l'intégration, le *Larousse* de 1905 retient le sens de « tenir en général des propos injurieux ou malveillants ». Toujours au nom de l'« extension », la deuxième édition du *Robert*, en 1990, articule à « la parole qui outrage la Divinité, la religion, le sacré » cette forme dégradée mais dérivée des « propos déplacés et outrageants pour une personne ou une chose considérée comme très respectable, quasi sacrée ». Le *Trésor de la langue française*, achevé en 1994, délimite encore plus strictement le « discours outrageant à l'égard […] de tout ce qui est considéré comme sacré » d'un côté et, de l'autre, le « propos […] injuste, injurieux, indécent contre une personne ou une chose considérée comme respectable ». Mais, dans le *Larousse* de 2010, la notion d'« outrage » suffit à définir le blasphème, et ce, de manière indistincte, que ce dernier s'adresse à « la divinité, la religion », sans majuscules, ou « à ce qui est considéré comme respectable ou sacré », en pure subjectivité.

Ainsi, en un peu plus de trois siècles, le vocabulaire du blasphème a-t-il connu un lent glissement. La divinité s'est estompée et la religiosité s'est socialisée. La piété s'est perdue et l'émotion s'est accrue. Le sacré s'est amenuisé et la civilité s'est dilatée. Le blasphème a connu à la fois déflation et inflation. Il n'a cessé de gagner en périmètre ce qu'il a perdu en signification. Il a passé, dans la compréhension commune, de la malédiction à l'imprécation, puis à l'exécration ; de l'injure à l'insulte, puis à l'irrespect ; de l'outrage à l'affront, puis à l'offense. En fait, le blasphème n'a cessé de se banaliser au prétexte d'avoir été circonscrit puis d'avoir disparu.

Or, si tentant soit-il de voir dans cette modification une exception française, il apparaît qu'elle est commune aux langues européennes dans leur ensemble. L'allemand *Blasphemie*, l'anglais *blasphemy*, l'espagnol *blasfemia*, le portugais *blasfémia*, mais aussi l'italien moins transparent *bestemmia* connaissent la même double application originelle, la même extension moderne et le même regain contemporain. Sous l'emprise du modèle occidental, les autres familles linguistiques suivent le pas, en créant au besoin néologismes ou périphrases. Parmi les langues slaves, le russe associe ainsi clairement à *bogokhoultsvo* le fait d'« invectiver Dieu », à *kochtchounstvo* le fait d'« avilir une réalité ». Dans les langues sémitiques, on assiste à un chassé-croisé entre l'hébreu moderne, *hilul hashem*, dont les résonances bibliques vont s'atténuant au profit du droit civil, et l'arabe littéraire *tajdif*, dont les

117

consonances coraniques infiltrent au contraire l'espace public. L'Asie, que son soubassement religieux attaché à la recherche de la sagesse prémunirait contre les excès légalistes des monothéismes, en est venue également à forger, sous la pression de la mondialisation, cette même terminologie, quitte à la retourner contre l'Occident. Ainsi, lorsque les autorités de la République populaire de Chine qualifient de *xièdú shénmíng de huà*, c'est-à-dire de « blasphème », l'attribution du prix Nobel de la paix au dissident Liu Xiaobo, s'agit-il pour elles de dénoncer l'instrumentalisation supposée des droits de l'homme sous couvert d'universalisme.

Diffusion et inversion plus que significatives ! Au plus large et au plus simple, le blasphème signifie l'irrévérence à l'égard de ce qui est révéré, la désacralisation de ce qui est sacré, la provocation qui vaut profanation ; il est cette parole jetée qui porte atteinte au sens admis et qui heurte, par l'offense ainsi commise, le sens commun au point de départager son locuteur de la communauté à laquelle il l'adresse et laquelle partage une même dévotion qu'elle entend protéger contre cette agression. Toutes choses qui ne relèvent pas d'une culture spécifique, mais s'appliquent aisément à l'ensemble des cultures. Toutes choses qui, également, s'entendent volontiers d'un contexte religieux, mais qui ne dérogent pas à un contexte politique.

2. Question de théologie

Athènes, Jérusalem et Rome

C'est ce que souligne, à côté de la convergence des vocabulaires, la construction religieuse, ou plutôt conceptuelle, à laquelle aboutit la confluence entre les génies grec, juif et romain. Or cette même conception ne sera pas sans impact sur l'islam, ni sur les autres cultures et mentalités à considérer l'emprise générale de la raison occidentale. Certes, l'affaire est complexe et il ne s'agit pas de réduire l'hellénisme à un « testament naturel » ou de nier que le mot « religion », tiré du latin, ne s'applique guère à des univers qui ne connaissent pas de frontière certaine entre le sacré et le profane. Pour autant, le blasphème ou ce qui en tient lieu constitue une permanence, si ce n'est innée, qui se révèle acquise.

Ainsi, parce que, précisément, le système de représentation symbolique des Grecs tourne autour de la piété, *eusébeia*, et de son opposé, *asébeia*, être pieux signifie pour eux adhérer à la cohésion sociale que légitime ce système. Le blasphème peut être un acte personnel, ses conséquences sont immanquablement collectives, elles concernent l'entière Cité et, à ce titre, relèvent du politique. Ce qui explique, selon Platon mais aussi selon Xénophon, chacun dans son *Apologie*, la condamnation de Socrate dont le procès se joue dans le renversement permanent des accusations de piété et d'impiété entre lui-même et ses juges : au déni des dieux d'Athènes, à l'introduction de nouveaux dieux et à la corruption de la jeunesse qu'on lui reproche, Socrate répond par le blâme de l'injustice qu'on lui fait, selon lui, par voie de calomnie et de parjure. Tous les éléments du blasphème sont réunis, jusque dans l'ironie qui va croissant au cours de son plaidoyer où l'inculpé raille ses procureurs en affirmant que sa conduite mériterait qu'il soit honoré de la plus grande distinction plutôt que d'être puni : ce tour de malice au tournant de la procédure emporte la vindicte de ses détracteurs, en tant qu'il nie le probe exercice de l'autorité dont ils se disent investis.

Dans la Bible hébraïque, la remise en cause que représente n'importe quelle profération impie est si essentielle qu'elle participe du Décalogue et qu'elle fait l'objet d'une des dix paroles que Dieu livre à Moïse sur le Sinaï et valant commandement : « Tu n'invoqueras point le nom de l'Éternel, ton Dieu, en vain ; car l'Éternel ne laissera point impuni celui qui invoque son nom en vain. » La prescription, par-delà l'interdiction préventive, s'étend à toute forme d'altération du culte, mais réunit surtout pouvoir spirituel et pouvoir temporel sous une même loi : « Tu ne blasphémeras pas Dieu ni ne maudiras un chef de ton peuple. » Enfin, elle poursuit la contradiction jugée insoutenable entre la parole révélée et la parole idolâtrique jusque dans la forme en apparence plus triviale de l'insulte envers une communauté ou un individu : « Fais sortir du camp celui qui a insulté ; que tous ceux qui l'ont entendu imposent leurs mains sur sa tête et que toute la communauté le lapide. Et tu parleras ainsi aux fils d'Israël : si un homme insulte son Dieu, il doit porter le poids de son péché ; ainsi, celui qui blasphème le Nom du Seigneur sera mis à mort : toute la communauté le lapidera ; émigré ou indigène, il sera mis à mort pour avoir blasphémé Le Nom. » Toutefois, afin de ne pas encourager la judiciarisation du blasphème, le Talmud entourera de conditions exorbitantes l'application de la peine capitale que prescrit la Torah : c'est solennellement que tout témoin sera mis en garde que, à émettre une déposition faussée, il s'expose au même crime que celui qu'il est censé dénoncer et, donc, à la même sanction.

Proche de l'Hellade, la Rome antique désigne sous le terme de *pietas* le devoir qu'est le respect fondamental qu'il s'agit de montrer à l'égard des concitoyens, des institutions, des ancêtres et des dieux. Alors que cet exercice garantit le fonctionnement et la prospérité de la Ville puis de l'Empire, l'*impietas*, son contraire, consiste dans la violation par un individu des règles publiques, autrement dit des rites normatifs, et équivaut à une forme de l'*iniquitas*, de l'« injustice » au sens de se mettre hors la loi. Seulement, pour que ce délit religieux existe, il ne suffit pas qu'il soit commis, il doit être reconnu comme tel par le peuple et par l'État. Lorsque la *Pax deorum*, la paix des dieux, est rompue, la communauté doit en rechercher et identifier la cause afin de s'en purifier. S'il revient aux dieux de se venger de l'offense commise, les hommes doivent se contenter de créer la possibilité de cette punition en abandonnant l'impie à un sort de déréliction, esclavage, folie ou encore mort honteuse. Ce dessaisissement ne vaut toutefois pas lorsque le crime religieux peut être assimilé à un complot politique comme dans le cas du détournement sectaire de la fête des bacchanales ou de l'insoumission chrétienne au culte impérial, ces phénomènes étant jugés destructeurs de l'ordre social parce que concurrentiels.

Jésus, roi des blasphémateurs

Il est, par rapport à cet héritage juif, grec et romain une invention chrétienne qui affleure dès le Nouveau Testament. Les Évangiles particulièrement adjoignent au caractère sacré du blasphème sa dimension plus prosaïque de médisance, qui va de l'apostrophe à l'insulte et du persiflage à la diffamation. C'est que la notion d'impureté, loin d'être cantonnée à l'objectivité légale, est rapportée cette fois à l'intériorité psychologique : les « mauvais desseins » qui se traduisent ensuite en « actes pervers » se formulent d'abord dans le cœur et relèvent à ce titre de l'intention personnelle.

Cette intimité biaisée, de soi à soi, est à la source de la déviation du *martyria*, de l'attestation qui court de soi aux autres en mystification : le témoignage tourne alors au contre-témoignage. Le faux serment, d'où procède le juron, est exemplaire de cette rupture dans l'adhésion de foi et, par voie de conséquence, dans la droiture de conduite. Il porte atteinte de façon éminente à la solidarité humaine et à la crédibilité de cette solidarité dont l'expression la plus immédiate est la fraternité. Il inverse la signification ultime, eschatologique, du Royaume, comme le montre l'usage plus spécifique du terme au sujet de la Bête qui, arborant sur ses sept têtes des « titres blasphématoires » à destination de ses adorateurs, les « fourvoie ».

Or, cette construction fondée sur la vérité et le mensonge répète le message essentiel de l'Évangile. Elle s'inscrit dans le renversement entre authenticité et imposture que conditionne le secret messianique : les détracteurs de Jésus, dont la prédication porte sur sa personne, ne cessent de l'accuser de blasphémer à cause de l'« esprit d'impureté » qui, selon eux, le possède et le fait contrevenir faussement à l'observance. Ce à quoi Jésus répond qu'il n'est de vraiment blasphématoire que la pure observance. Néanmoins, alors qu'il prône la pratique absolue du pardon dont il démontre la vertu miraculeuse en guérissant toutes sortes de marginaux, c'est-à-dire en les restaurant comme sujets communautaires, le Nazaréen anathématise l'irrémissible « blasphème contre l'Esprit ». C'est que ce dernier fait précisément attribuer les œuvres et signes de Dieu au Diable. Cette tension culmine dans le procès de Jésus qui est condamné à mort, selon les Évangiles, pour s'être désigné de lui-même comme blasphémateur, cette fois au sens plénier d'usurpateur de l'autorité divine, devant ses juges, les dispensant ainsi de tout témoin pour avoir témoigné contre lui-même. Paul, à sa façon, illustrera cette dialectique, rappelant comment, avant sa conversion, persécutant les premiers disciples et « leur faisant subir avec fureur divers sévices », il voulait les « forcer à blasphémer ».

Le double démoniaque peut se révéler un soi démonisé. Le Nouveau Testament accepte de mettre complètement en lumière la réversibilité du blasphème que s'efforcent par ailleurs de limiter l'ensemble des cultures antiques au sein du bassin méditerranéen. Au cours de la procédure juridique de confrontation qui est censée contenir, réduire et annuler la parole blasphématoire, le risque est en effet que le défenseur de la piété concoure autant que l'offenseur de la piété à diffuser l'impiété. Les précautions dont Athènes, Jérusalem, Rome entourent ce type de procès soulignent cette contradiction première. L'Évangile l'assume et en dévoile le mécanisme qui voit dans l'impuissance volontaire de Dieu l'accomplissement de sa toute-puissance.

Ainsi, hormis quelques débats spéculatifs sur l'énigmatique « blasphème du Saint-Esprit » et de multiples considérations pastorales sur les plus évidents « blasphème des apostats » ou « blasphème des hérétiques », l'Église martyre et conquérante ne s'est guère souciée ni de dogmatiser le blasphème, ni d'en instruire systématiquement la répression. Ce n'est qu'au VIᵉ siècle, avec Justinien, l'érection du christianisme en religion d'État et la rédaction des *Novelles* qu'apparaît une législation du sacrilège qui instaure un « blasphème des chrétiens ». Encore ne fait-on qu'y reprendre symboliquement les dispositions du Lévitique, et faudra-t-il attendre l'Occident latin et le XIIIᵉ siècle pour que le « péché de langue » soit institué en catégorie du droit et régime de pénalité avant de refluer en tant que tel, sous l'effet de la sécularisation, à partir du XVIIIe siècle.

Le Prophète et l'apostat

L'islam dans sa forme sunnite, donc majoritaire, rompt avec cette logique de dissociation et de glissement entre le sens religieux et le sens politique du blasphème. L'articulation qu'il retient paraît normative : le rapport de fidélité ou d'infidélité à la révélation est entrevu dans ses conséquences pour la communauté des croyants. Néanmoins ces conséquences sont conçues dans leur immédiateté, autrement dit hors d'une médiation qui vaudrait aussi sas d'étanchéité et qui empêcherait une perpétuelle fluctuation et réversibilité entre les deux pouvoirs.

Pris dans sa littéralité, le Coran manifeste en effet une parfaite intransigeance envers toute forme d'écart verbal. Comme il est stipulé dans la trente-troisième sourate : « Ceux qui offensent Allah et Son messager, Allah les maudit ici-bas, comme dans l'au-delà et leur prépare un châtiment avilissant. Et ceux qui offensent les croyants et les croyantes sans qu'ils l'aient mérité, se chargent d'une calomnie et d'un péché évident. [...] Ce sont des maudits. Où qu'on les trouve, ils seront pris et tués impitoyablement. » Mais, plus encore, la cinquième sourate appelle à éradiquer ceux qui, sous quelque forme que ce soit, s'opposent à la révélation : « Que ceux qui font la guerre contre Allah et Son messager et qui s'efforcent de semer le désordre sur la terre, soient exécutés, ou crucifiés, ou que leur soient coupées la main et la jambe opposées, ou qu'ils soient expulsés de la Terre. »

Or, l'unité conceptuelle et sémantique du blasphème, caractéristique des textes grecs et juifs, puis chrétiens, éclate dans la littérature islamique et s'impose plus fortement encore dans les hadiths, ces compilations des dits de Mahomet, que dans le Coran. Il y a autant de crimes en esprit et de châtiments en pratique que l'on peut détailler de péchés en paroles, lesquels composent en fait une échelle des intensités de mécréance. L'insulte (*sabb*), l'abus (*shatm*), la diffamation (*ta'n*), la malédiction (*la'ana*) relèvent du déni (*takhib* ou *tajdif*) qui renvoie lui-même au mélange (*iftira*) et à la nécessaire purification du monde dans la séparation du sacré et du profane selon la codification du licite et de l'illicite.

En soi, le blasphème est néanmoins compris comme équivalant à l'apostasie (*ridda*). Ce crime éminent ne recouvre pas uniquement l'abandon de l'islam par un musulman en vue d'adopter une autre foi ou de se déclarer athée mais il englobe aussi, chez ce même musulman, le doute quant à un dogme, le questionnement à l'égard d'une croyance, l'amusement au regard d'une dévotion, le dissensus envers une pratique, le rejet d'une sentence qui ont pour eux d'être majoritaires. La peine de mort qu'encourt l'apostat s'explique donc par le risque maximal de désordre et de désunion qu'il fait courir et qui consiste à l'extrême en la guerre civile (*fitna*). Ce qui implique que seul le fidèle puisse être incriminé d'un reniement dont l'infidèle sans affiliation est par nature incapable. Le hanafisme, l'école de jurisprudence la plus libérale, convient ainsi qu'il ne peut être de blasphème que commis par le croyant.

Cette position religieuse, en principe tolérante, est toutefois contredite par la situation politique, en pratique intolérante, des pays de culture musulmane où domine la judiciarisation du blasphème. Ces derniers forment d'ailleurs, à l'échelle planétaire, le premier bloc de cette judiciarisation et bataillent collectivement au sein des institutions internationales pour qu'elle soit inscrite dans le droit, voire figure comme l'un des droits de l'homme. Preuve, s'il en était besoin, et évidence voilée que dévoile le blasphème, que le clivage majeur ne passe pas entre théocratie et démocratie, mais traverse l'exercice démocratique lui-même.

3. Question de politique

Au studio de montage

Sans aucun doute, ces annotations jetées en passant d'un registre culturel à l'autre ne suffisent pas à fonder ne serait-ce que l'esquisse d'une anthropologie du blasphème, ce à quoi d'ailleurs elles ne visent pas. La pertinence des espaces évoqués pourrait même être aisément interrogée. Ainsi, pour ce qui est de l'islam, faudrait-il revenir sur les similitudes de principe qu'il entretient avec le judaïsme dont, en premier lieu, l'interdit de l'image ; mais aussi, au sein même de cet interdit, de la différence entre les univers sunnite et chiite ; et, enfin, au regard de la chronologie, de la barrière que constitue le XVIe siècle en deçà de laquelle l'élan esthétique déborde sans trop de difficulté la prohibition doctrinale et au-delà de laquelle le blasphème pictural s'ajoute au blasphème verbal, l'englobe et le supplante. Pourtant aucune sourate, aucun hadith ne proscrit la figuration imitative de la Création au nom de l'irreprésentabilité du Créateur inimitable, mais la flamme dont la tradition revêt le visage du Prophète lorsqu'il arrive qu'il soit portraituré en dit plus long que le texte sacré.

C'est donc autrement que par la canonicité religieuse qu'il faut approcher le blasphème en ce qu'il a sinon d'universel, au moins de général. Seule certitude de ce bref relevé, le blasphémateur, s'il n'est pas nécessairement voué à l'exécution, est absolument destiné à l'exclusion. Car peu importe la nature, l'objet ou la finalité de l'irruption et de la disruption dont il est le porteur, il est impossible de ne pas voir que le phénomène renvoie partout à la même fonction, qu'il est d'abord et en fait une fonctionnalité. Or cette fonctionnalité, de surcroît, n'est proprement ni théologique ni politique, mais sert de change entre les deux.

Le blasphème tient en effet dans le jugement qui le constitue. Au sein d'un ensemble donné d'interprétations théologiques et de sanctions juridiques qui sont les unes et les autres virtuelles *a priori*, il résulte de l'interaction entre un accusateur supposément compétent, un accusé supposément dégradant et une autorité spirituelle ou temporelle supposément menacée.

Le tout aboutit ainsi, selon la formule de l'ethnologue Jeanne Favret-Saada qui a démonté ce mécanisme, à un « montage institutionnel ». Ce qui est censément interdit compte donc moins que d'interdire, au sein de la cité, cela même qui pourrait aboutir à troubler l'ordre qui la garantit et, surtout, à rejeter le principe qui la légitime. Autrement dit, il s'agit d'éliminer ce risque en le maximalisant. Ce à quoi sert précisément la sacralité.

Le couperet

D'apparence théologique, le blasphème, ou plutôt la répression du blasphème, ne cesse ainsi d'être de bout en bout politique car, très précisément, et c'est ce à quoi nous ramène ce long détour par la philologie, il n'est pas de sacralités que religieuses. Ce que rend manifeste, à sa façon, Charlie, qui constitue d'abord un tournant dans la conscience de la vulnérabilité de nos valeurs. La tragédie rouvre le débat sur la place du sacré et de son pendant, le sacrilège, dans nos sociétés modernes et, plus profondément, sur la liberté que l'individu a ou non, peut prendre ou non, de s'émanciper par rapport à la communauté.

Quand de surcroît ladite communauté ressort comme éclatée, ou si l'on préfère multiculturelle, donc inconsciemment ou consciemment pluricultuelle, se pose la question de son unité. Dans la religion civile américaine, ce sont les insignes nationaux dont la loi a longtemps puni le traitement irrévérent. Ainsi, pendant des décennies, du drapeau. Le caractère arbitraire, voire ridicule si l'on veut, de l'objet ne fait que renforcer la révérence qui lui est due car la répression du blasphème ou du sacrilège n'a pas besoin de se justifier mais de fonctionner. Qu'avons-nous le droit de dire et le devoir de taire ? Où finit l'indépendance et où commence le respect ? Qu'est-ce qu'une offense ?

Ces questions, qui sont essentielles, renvoient à la notion de frontière, laquelle n'est jamais éloignée de celle de la contenance et, donc, du corps. Le sujet ne vaut pas qu'au Pakistan où on lapide et où l'on ampute. Il occupe aussi le Vieux Continent où la question de ce qu'est faire corps est devenue une angoisse substantielle. Qu'est-ce qu'une démocratie ? Qu'est-ce que la laïcité ? Qu'est-ce que la sécularisation ? Sommes-nous sûrs d'avoir proscrit la punition du délit qui portait atteinte hier au Principe transcendant ou au Prince censé le représenter, et de ne pas l'avoir réinventé autrement ? Qu'est-ce qu'une conviction, une opinion, une insulte au regard des sentiments d'un individu, d'un groupe, d'une communauté, et qui peut en juger ?

Longtemps, nous avons cru que la France faisait exception, qu'elle savait distinguer mieux que tous les autres pays le sacré et le profane, qu'elle garantissait comme nulle part ailleurs la liberté d'expression. Avons-nous eu tort ? L'hexagone n'a-t-il pas tourné au pays où l'on fait des tribunaux des tribunes ? Où l'inflation législative venant limiter la liberté d'expression ne s'est pas limitée à la tribalisation des mœurs ? Où les lois « mémorielles » se sont multipliées, passant de la lutte contre la négation de la Shoah à l'affirmation de la reconnaissance de la traite négrière, du génocide des Arméniens, des rapatriés d'Afrique du Nord et d'Indochine. Mais quel juge déciderait aisément de ces questions : L'offense à la croyance est-elle une offense au croyant ? Le croyant ne se déclare-t-il pas juridiquement offensé car c'est là sa seule possibilité de réintroduire le blasphème dans l'espace public ? Au nom du crime offensant dont il se dit la victime civile, ne veut-il pas nous incriminer de constituer une société de l'incivilité ?

Judiciarisation, communautarisation et sacralisation de l'identité, ou de ce qui en tient lieu : pourquoi ce mouvement a-t-il trouvé une résonance toute particulière en France, qui a été le décor privilégié à la fois de grands procès agités au nom de Dieu et de terribles attentats accomplis au nom de Dieu, alors même que la France revendique d'être le seul pays authentiquement laïque au monde ?

III

Une passion française

1. MILLE ANS D'HISTOIRE

Un prisme identitaire

En inventant et en promouvant la laïcité, la France aurait-elle anticipé l'irrésistible mouvement de l'histoire menant à la sécularisation ? Aurait-elle compris avant les autres que le christianisme est, comme y insiste Marcel Gauchet, « la religion de la sortie de la religion » ? Ou faut-il considérer que la laïcité à la française, en tant que fabrique théologico-politique, n'est que la version constitutionnelle du catho-républicanisme, vraie religion nationale et seule apte à endiguer la guerre civile toujours latente ? D'ailleurs, comment entendre la laïcité ? Comme celle offensive de 1905, celle apaisée de 1958, celle positive de 2007 ? Comme militante, neutre, bienveillante ? Comme un substantif, un concept, ou plutôt, sous une forme adjectivée, comme un mode d'être ?

Il ne suffit pas toutefois de croire l'avoir définie. Si la conception en est aussi claire qu'on le prétend parfois, pourquoi, depuis trois décennies, de crise de l'école libre en crise du voile et crise des sectes, les débats, les commissions et les décrets n'ont-ils cessé de se multiplier ? Est-il de surcroît tant de pays à travers le monde qui revendiquent la laïcité ? Parmi eux, combien en est-il qui s'en réclament proprement ? Enfin, traduit-on le terme même de laïque, dans les enceintes internationales, autrement que par l'anglais *secular* ? Et ce, quitte à perdre toute signification proprement politique et à être réduit à une immédiateté purement sociologique ?

Ces questions sur la laïcité mériteraient chacune que l'on y consacre des volumes. Le blasphème n'en serait que l'un des chapitres, mais le plus éloquent car il est au cœur des disputes qui ont polarisé l'opinion française depuis maintenant trente ans. Dès qu'il s'agit de sacré et de profane, la France se découvre en effet prise entre la résurgence d'anciennes querelles qui ont configuré son passé et l'irruption de nouvelles querelles issues des mutations religieuses qui déterminent son avenir, entre le souvenir de ses guerres de religion et l'appréhension des mutations de son paysage religieux. Le tout en considérant son rôle international où se mêlent l'héritage colonial, le prestige de la patrie des droits de l'homme et le statut de puissance que continue d'illustrer son siège au Conseil de sécurité des Nations unies.

En d'autres termes, le blasphème constitue un prisme pas plus mauvais que d'autres pour qui veut s'enquérir de l'identité française. On peut même avancer, sans crainte d'être trop contredit, qu'il représente une authentique passion française.

Dieu et le Roi

Derrière Paris, sous la monarchie comme sous la république, il y a Rome. L'empire se convertit au IVe siècle, mais le christianisme ne devient religion d'État que deux cents ans plus tard. Avec Justinien, théocrate, théologien et législateur, le Prince chrétien se fait le champion de la lutte contre le blasphème et doit être prêt à punir son auteur du « dernier supplice ». Dans leur volonté d'assumer la pourpre impériale, les Carolingiens reprennent ces dispositions qui, toutefois, ne les occupent guère, à l'exception de Louis le Pieux, obligé de rallier la papauté à ses affaires de succession et afin d'apaiser la guerre civile qu'elles entraînent.

Il faudra attendre les Capétiens et Louis IX, dit « le Prudhomme » puis « Saint Louis » après sa canonisation, pour trouver un tel autre exemple de piété royale et voir le trône s'emparer d'une juridiction censée revenir à l'autel. Louis IX se distingue en effet par une politique religieuse active. De l'appel à la croisade au brûlement du Talmud et de l'interdiction de la prostitution, du jeu ou de l'usure à l'acquisition de reliques, il fait de l'évangélisation du peuple le but avoué de son gouvernement. Il en découle l'opposition au pouvoir arbitraire de la féodalité, la création d'une administration judiciaire autonome, l'institution de la présomption d'innocence et la généralisation du recours en grâce. Mais il en sort également le traitement discriminatoire des juifs du royaume qui, pris entre conversion, bannissement, rachat de droit de résidence, sont soumis, après 1269, aux mesures de stigmatisation arrêtées par le quatrième concile du Latran. Cette ambivalence même s'applique au blasphème qui entre dans le champ des sanctions civiles : le « roi-justicier » renforce la répression de tout acte ou parole portant atteinte à l'ordre ecclésiastique, mais il interdit l'ordalie, cette pratique ancienne du supplice physique censé vérifier très précisément le « jugement de Dieu ».

La sacralité commence à passer de l'Église à l'État. D'ores et déjà, le combat contre le blasphème se trouve enrôlé au service du projet plus vaste de renforcement de la cohésion nationale par le biais de l'épuration sélective. Le maximalisme est vite de mise. C'est ce dont témoigne l'ordonnance que Louis IX promulgue en 1263 à son retour de Terre sainte : les peines intègrent le marquage au fer rouge. Tout en louant sa ferveur, le pape Clément IV l'exhorte néanmoins à éviter le dommage corporel, l'Église elle-même se contentant de l'excommunication. L'année d'après, en 1264, Louis IX révise son ordonnance et en retire les mesures cruelles de mutilation. Elles seront réintroduites par ses successeurs.

Exclusion ou exécution ? Anathème ou flétrissure ? Pardon du péché ou opprobre du crime ? Les deux pouvoirs, spirituel et temporel, obéissent à des logiques différentes. Philippe le Hardi, Philippe de Valois, Charles VI, Charles VII, Charles VIII, Louis XII signeront tous des ordonnances qui promettront les pires châtiments non seulement aux blasphémateurs, mais encore à ceux qui omettraient de les dénoncer ou manqueraient à témoigner contre eux. Les parlements et autres institutions locales les relaieront, contribuant à établir un ample corpus juridique autour du blasphème. Pour cause de droit divin et pour raison de paix sociale, l'État prend en charge ce qui était du domaine présumé de l'Église car il n'y a pas de différence fondamentale entre le fait d'être religieux et le fait d'être civique : dans l'un et l'autre cas, c'est la conformité au collectif qui détermine la qualité de l'individu et cette conformité doit s'entendre comme un fait de discipline.

Ce qui est particulièrement vrai en France où la théorisation de l'indépendance du pouvoir royal conditionne une défiance profonde à l'égard du pouvoir papal. C'est pourquoi l'Inquisition est récusée par la monarchie en tant que juridiction autonome et voit ses missions assumées par des tribunaux civils. D'une part, on ne veut guère d'une justice cléricale, mais, d'autre part, on entend volontiers pouvoir traiter du crime de lèse-majesté non seulement dans sa dimension divine et religieuse, mais aussi au regard de sa signification humaine et politique : les principes céleste ou terrestre doivent avoir en commun d'être hors d'atteinte.

Sans doute est-ce pourquoi on assiste, entre la fin du XVe siècle et le début du XVIIIe siècle, à une lente mais sûre décroissance des procès pour blasphème, ou ayant le blasphème pour seul motif. Le blasphémateur est, entre autres, auteur de blasphème. Il est moins poursuivi pour les propos qu'il tient que pour la vie qu'il mène, symbole de désordre et d'insécurité qui menace l'ordre public. Il est assimilé à l'univers grossier du crime. Ce dernier mouvement parachève le transfert à la sphère publique. À la police de la religion se substitue, peu à peu, une conception policée de la vie en société, mais cette mutation ne va pas sans à-coups et sans dérives car la sacralité, à être expulsée, resurgit avec une violence toute paradoxale, voire insensée. La dramatique affaire du chevalier de La Barre en fera la sanglante démonstration.

Au secours, Voltaire !

Le 9 août 1765, Abbeville, une commune du diocèse d'Amiens, se réveille en émoi. Le crucifix de bois placé sur le parapet du Pont-Neuf aurait été profané, cisaillé et tailladé à l'aide d'une lame, sans doute une épée. L'évêque en personne mène, pieds nus, une procession réparatrice. Vite, les coupables sont désignés. Il s'agit forcément de François Jean Le Febvre de La Barre, un chevalier réputé libertin, et de ses compagnons de beuverie qui sont tous des lecteurs des œuvres alors interdites des penseurs des Lumières. Assuré de son bon droit, refusant de fuir, La Barre est arrêté le 1er octobre 1765. Après avoir été condamné à Abbeville, il fait appel auprès du parlement de Paris qui, le 4 juin 1766, confirme la peine capitale, laquelle devient exécutoire après le refus de Louis XV de le gracier.

Pour avoir profané la croix, mais aussi « le signe de la croix, le mystère de la consécration du vin et les bénédictions en usage dans l'Église », pour « avoir passé devant le Saint-Sacrement sans ôter son chapeau et sans se mettre à genoux et proféré des blasphèmes exécrables et abominables », pour avoir « rendu des marques de respect et d'adoration à des livres infâmes », le chevalier de La Barre devra s'en repentir et demander pardon « à Dieu, au Roi et à la justice », avant d'avoir la langue coupée et d'être décapité, puis brûlé en place publique dans le même temps qu'un exemplaire du *Dictionnaire philosophique* de Voltaire. L'amputation de la main et la montée vif au bûcher prévus dans le jugement initial n'ont pas été finalement retenus. L'exécution, le 1er juillet, apparaît pour ce qu'elle est : un acte de torture commandé par une justice fondée sur une abyssale et terrifiante disproportion entre la faute supposée et le châtiment infligé.

La Barre a raisonnablement cru échapper à ce supplice qui représente l'aboutissement d'un enchaînement aussi vertigineux que mécanique. Il meurt victime d'une pitoyable cabale locale amplifiée par de dramatiques mésententes au sommet de l'État. L'affaire conjugue en effet rivalités affairistes provinciales et oppositions idéologiques parisiennes. La mise au pas des jansénistes, l'expulsion des jésuites, la répression des encyclopédistes y ont leur part, particulièrement au regard des débats sur la monarchie absolue. De même que l'attentat perpétré par Damiens contre Louis XV une petite décennie plus tôt et puni avec une sévérité démonstrative : le Prince peut-il faire moins pour Jésus qu'il n'a fait pour lui-même ?

Ainsi le chevalier est condamné sans retour par l'autorité royale tandis que l'autorité épiscopale plaide la relaxe. Pour autant, il sera bientôt érigé en ultime martyr de la liberté de conscience face à l'intolérance religieuse de l'Ancien Régime. Sa triste fin marque de la sorte le basculement définitif du blasphème vers la sphère civile. Car, dans son cas, le crime n'est autre que l'« esprit philosophique », censé miner les institutions, menacer la société, corrompre les consciences. Or cet esprit est aussi celui de la sécularisation qui avance sous couvert des Lumières : la laïcisation du sacrilège, en ce qu'il a d'extraordinaire, a pour moyen sa criminalisation qui, à défaut de le banaliser, le rend ordinaire.

Incriminé à travers La Barre, solidaire de ses compagnons pour lesquels il s'entremet, Voltaire initie la mobilisation contre le délit de blasphème. Il le fait en ramenant la question de la vérité à celle de l'opinion. En cela, il continue Pierre Bayle qui, déjà, écrivait dans *De la tolérance* : « Un tel, disons-nous, prononce des blasphèmes insupportables et déshonore la majesté de Dieu, de la manière du monde la plus sacrilège. Qu'est-ce que c'est, après l'avoir examiné mûrement et sans passion ? C'est qu'il a sur les manières de parler de Dieu honorablement d'autres idées que nous. » Lui-même insiste à son tour sur cette nécessaire relativisation : « Parmi nous, ce qui est blasphème à Rome, à Notre-Dame-de-Lorette, est piété dans Londres, Amsterdam, Berlin, Copenhague », et il ajoute : « Les jésuites ont soutenu pendant cent ans que les jansénistes étaient des blasphémateurs et les jansénistes l'inverse. »

Cette relativisation découle du passage de la sphère de l'impiété à la sphère du crime ou, plus exactement, à la sphère du droit. En devenant un objet juridique parmi d'autres, le blasphème perd en évidence, à commencer pour les juristes qui se départissent de la sphère théologique et ne peuvent envisager qu'un délit soit puni par un mal supérieur au mal qu'il a causé à la société. Mais, en raison de cette distanciation, ils commencent également à construire une image positive de la religion au regard précisément de son utilité sociale, de sa capacité à garantir le bon ordre des mœurs et du monde. En invoquant favorablement l'émergence d'une telle religion civile – aux deux sens du mot, civique et sociable –, les juristes parachèvent le mouvement de laïcisation qui mène à la dépénalisation du blasphème. Les magistrats les suivent qui, tout en continuant à avoir à juger les blasphémateurs, minoreront toujours plus les peines, jusqu'à les rendre insignifiantes. En 1789, à l'aube de la Révolution, les cahiers de doléances montreront que si le blasphème garde son sens classique d'impiété caractérisée, il ne représente plus qu'un souci mineur.

Culte et contre-culte suprême

La question de la liberté d'expression revient au centre de toutes les préoccupations lors des débats qui animent l'Assemblée constituante en vue de l'adoption de la Déclaration des droits de l'homme et du citoyen. Deux conceptions se font face : celle de Marat, absolue et libertaire, qui veut qu'aucune limite ne soit posée à la liberté d'expression, et celle de Mirabeau, plus nuancée, qui, tout en proclamant une liberté d'expression sans entraves, enjoint au législateur de condamner ceux qui abusent de cette liberté. Dans sa version finale du 26 août 1789, c'est cette dernière conception que retiennent les constituants qui dotent la Déclaration des droits de l'homme et du citoyen d'un article abolissant toute censure *a priori*, mais laissent la possibilité de sanctionner les abus *a posteriori* : « La libre communication des pensées et des opinions est un des droits les plus précieux de l'homme ; tout citoyen peut donc parler, écrire, imprimer librement, sauf à répondre de l'abus de cette liberté dans les cas déterminés par la loi. »

La période qui s'ouvre avec la Révolution achève d'altérer l'image sacrale du roi qui s'était dégradée tout au long du XVIIIe siècle. Comme le montre Alain Cabantous dans son maître ouvrage *Histoire du blasphème en Occident*, le langage de la communion chrétienne est transféré à la communauté sociale, tandis que les notions de patrie ou de nation revêtent un sens transcendant au point que l'on puisse évoquer une « sanctification du politique ». Les livres et manuels qui louent soit l'État, soit la République, soit le Citoyen se multiplient. La substitution est radicale et revendiquée : « Au lieu d'aller à la messe, nous irons à l'exercice. Notre catéchisme sera la Constitution ; nos confessionnaux seront les guérites et, au lieu d'accuser les fautes, nous y veillerons sur celles des autres. » La désacralisation du passé entend laisser la place à une nouvelle sacralité, à la fois ancienne et nouvelle, fondée entre autres sur l'abolition du délit de blasphème que stipulent les articles 10 et 11 de la Déclaration des droits de l'homme et du citoyen de 1789.

Deux siècles et quelques années plus tard, Jean-Luc Mélenchon aimerait en déduire que « le blasphème n'existe pas en République ». Qu'il ne soit plus réprimé, certes. Mais qu'il ait cessé d'être, non. Car ce serait alors confondre droit à l'incroyance et droit au sacrilège, comme s'il n'était d'ailleurs de sacrilèges que ceux qui s'adressent à l'Église ou aux religions. Ce que se gardent de faire les révolutionnaires. Selon les termes mêmes du célèbre discours de François Michault de Lannoy aux habitants de Vaugirard lors de l'inauguration du Temple de la Raison : « Citoyens, pour les principes de la religion, de la nature et de la raison et même de Jésus-Christ, sont écrits sur nos portes et sur nos cœurs : unité, indivisibilité de la République française, liberté, égalité ou la mort. Voilà notre Évangile politique et moral. »

Il apparaît, d'une part, qu'il est une nouvelle sacralité, qu'elle implique de nouveaux interdits et que la parole impie nouvelle, à l'instar de l'ancienne, est celle qui vise le pouvoir en le niant ou en niant ses attributs. On qualifie alors généralement cette parole d'« incivique », terme abstrait, qui peut sembler flou, à moins qu'on ne le rapproche, côtoyant le culte des martyrs de la Liberté et le Décalogue républicain, du baptême ou du carême civiques. Ou à moins que l'on n'y entende résonner, tel Couthon au Parlement, les « blasphèmes perpétrés contre la Révolution ». Mais il ressort, d'autre part, que, en vertu de la nature dialectique du blasphème, le terme fait mieux que subsister sous la Révolution, quoique pour acquérir la valeur positive d'un moyen d'émancipation. Pour se libérer du blasphème, il faut le pratiquer.

Avec la campagne de déchristianisation de l'an II, à l'automne 1793, l'appel à l'impiété, dont la profanation des tombeaux de Saint-Denis en 1792 a été un exemple parmi des milliers d'autres actes iconoclastes, et dont la décapitation du roi en janvier 1793 a marqué l'apogée, devient un programme. Ce blasphème-là, à la fois droit et devoir, voire bacchanale, ne connaîtrait-il toutefois aucune limite ? L'affrontement entre les véhicules concurrents de la nouvelle sacralité, nommément le culte de la Raison et le culte de l'Être suprême, montre que non. Or, significativement, le premier est athéiste et le second déiste. Le culte de la Raison, promu par les hébertistes, se manifeste courant 1793 dans plusieurs églises transformées en temples éponymes et se traduit par des rites parodiques et caricaturaux mêlant cortèges carnavalesques et actes de vandalisme. Le mouvement finit de se radicaliser lors de la fête de la Liberté à Notre-Dame, le 10 novembre 1793, où l'on fait défiler sur un mode à la fois païen et paillard une jeune femme censée figurer la déesse de la Raison. Or Robespierre réprouve ce culte et le condamne, considérant qu'il y a une religion naturelle et qu'elle réclame un culte rationnel, apte selon son aspiration à développer le civisme et la morale républicaine.

Doté d'un calendrier célébrant des valeurs sociales, des vertus abstraites et des principes immatériels, le culte de l'Être suprême entend réunir les citoyens autour de ces fêtes afin d'assurer leur sentiment de fraternité. Ainsi, le 8 juin 1794, au Champ-de-Mars et au son de l'hymne composé à cet effet, Robespierre s'avance, un bouquet à la main, pour saluer la statue de la Sagesse avant de mettre le feu aux mannequins de l'Athéisme, de l'Ambition et de l'Égoïsme. Quoi qu'il en soit exactement de la mystique laïque qui est censée le fonder, ce culte, comme l'a vu Hannah Arendt, signale une résurgence de l'absolutisme à la française dans l'idéologie révolutionnaire : l'Être suprême est ce « grand législateur universel » sur qui repose toute « sanction transcendante dans le domaine politique » et qu'a rendu nécessaire l'incapacité de la Constitution à remplir ce rôle. Pour le dire autrement, la Terreur elle-même n'a pu effacer ni la convocation de la transcendance, ni la fonctionnalité du blasphème.

Des lois d'exception aux lois sur la presse

En signe du retour à l'ordre, l'arrivée au pouvoir de Napoléon Ier s'accompagne d'un renouveau de la tradition juridique française, marqué par l'amplification rédactionnelle des lois fondamentales et des règles quotidiennes. Lorsqu'il rétablit la censure préalable pour la presse en 1803 et pour les livres en 1810, l'Empereur vise d'abord la sauvegarde de l'ordre moral et politique sans se soucier particulièrement du blasphème. La Restauration, acquise par principe aux idées contre-révolutionnaires, va tâcher de remettre en vigueur le délit de sacrilège et sa répression, mais en vain. Elle doit cependant faire face au retour de la figure du blasphémateur sous la forme triviale du bourgeois goguenard ou plus idéologique du libre-penseur. La guerre des deux France a de longs jours devant elle. Aussi la loi du 17 mai 1819 propose-t-elle, dans son article 8, une synthèse déguisée et donc durable : « Tout outrage à la morale publique et religieuse, ou aux bonnes mœurs [...] sera puni d'un emprisonnement d'un mois à un an, et d'une amende de 16 francs à 500 francs. »

Après les émeutes des Trois Glorieuses, en 1830, l'accession des orléanistes au pouvoir s'accompagne d'un premier mouvement de libéralisation, rapidement suivi, à partir de septembre 1835, d'un durcissement législatif. On assiste alors à une augmentation exponentielle des procès pour offense à la personne du roi et incitation à la révolte qui entraîne condamnations judiciaires et disparitions de journaux. La révolution de février 1848 porte une fois encore les idéaux de liberté de la presse au-devant de la scène. Dès le gouvernement provisoire, les lois de 1835 sont abolies et la Constitution, votée par l'Assemblée nationale le 4 novembre 1848, affirme que « la presse ne peut en aucun cas être soumise à la censure ». Mais la nouvelle République qui se veut libertaire ou libérale se révèle vite autoritaire et conservatrice en la matière.

Là encore, il ne faut pas attendre longtemps avant que de nouvelles lois franchement hostiles soient promulguées. Quand Louis-Napoléon Bonaparte prend définitivement le pouvoir comme Napoléon III en 1852, il ne lui reste qu'à parachever l'œuvre entreprise par la Restauration et la IIe République : la Constitution omet de mentionner la presse que ce soit pour évoquer ses devoirs ou ses droits, tandis qu'un régime hautement répressif est instauré par voie de décrets. La meilleure façon d'échapper à la censure est d'éviter le moindre sujet pouvant avoir trait à la politique ou aux mœurs comme le montrent, *a contrario*, les procès intentés contre les frères Goncourt, Flaubert, Baudelaire ou encore Verlaine, parmi d'autres écrivains, et qui ont tous eu à répondre de leurs outrages « à la morale publique et religieuse ».

L'histoire patinant, à tout le moins celle des libertés, la fin du Second Empire marque un nouveau revirement en faveur de l'indépendance de la presse, suivie par un nouveau retour en arrière. Le gouvernement de l'« Ordre moral » réintroduit une censure active, les journaux séditieux sont supprimés, suspendus ou privés de vente sur la voie publique. Il faudra attendre la victoire des républicains aux législatives de 1876 pour que le gouvernement refasse de la liberté de la presse en particulier et de la liberté d'expression en général un même môle de la souveraineté populaire.

1881, année libératrice

Le véritable tournant survient avec la IIIe République qui se distingue par sa volonté d'inscrire l'existence collective et ses modes d'être dans un cadre légal. En reprenant les dispositions de la Déclaration des droits de l'homme et du citoyen de 1789, les députés entament une série demeurée inégalée de grands débats parlementaires afin de doter l'appareil législatif d'une armature à laquelle s'adosse depuis le régime français des libertés : loi sur la liberté de réunion en 1880 ; loi sur la liberté de la presse en 1881, adoptée au bout de trois années de discussion ; loi sur la liberté syndicale en 1884 ; loi sur la liberté d'association ; enfin, *last but not least*, loi sur la liberté de croire ou de ne pas croire, intitulée loi sur la séparation de l'Église et de l'État en 1905.

La loi sur la presse est emblématique de cette détermination que l'on aimerait penser comme acquise. Elle représente en effet le « compromis optimal entre l'exercice de la liberté fondamentale de l'information et la protection des droits de la personne ». Certes, ses auteurs entendent rester fidèles au principe qui a présidé à la rédaction de l'article 11 de la Déclaration de 1789, selon lequel la liberté d'expression doit être totale, sauf en cas d'abus, ceux-ci devant être déterminés par la loi. Néanmoins, ils n'hésitent pas à introduire dans la réalité de l'exécution une véritable rupture : la loi abolit définitivement les délits qui étaient antérieurement considérés comme relevant de l'opinion et ne vise à protéger ni les cultes et les institutions, ni la morale et la famille.

Ce régime connaît à l'évidence quelques claires restrictions, qu'il s'agisse de réprimer la diffamation, l'injure, la diffusion de fausses nouvelles, l'incitation à l'émeute, la provocation directe à commettre un crime ou un délit ainsi que l'apologie de certains crimes. Mais chacune de ces restrictions obéit à une définition précise et renvoie au principe soit de protection de la personne, soit de maintien de l'ordre public, non sans que ces deux domaines soient strictement délimités et matériellement circonscrits. Dernière novation de taille, la loi sur la presse, tout en se rattachant au droit pénal, bénéficie d'une procédure dérogatoire à la procédure pénale classique, selon l'idée que l'arbitrage des délits liés à la liberté d'expression doit être rendu plus complexe pour éviter, autant que possible, une censure des juges.

La France, après la période révolutionnaire, a successivement connu, comme l'a montré Philippe Portier, deux systèmes normatifs. De Napoléon Iᵉʳ à la IIIᵉ République, elle a expérimenté un régime de

« liberté contenue » : la législation ne fait plus référence au blasphème, mais punit « tout outrage à la morale publique et religieuse et aux bonnes mœurs ». La loi sur la presse de la IIIᵉ République laisse place, quant à elle, à un autre régime, qui doit être qualifié de « liberté élargie ». Le point de continuité entre ces régimes qui visent avant tout à consolider l'ordre politique se tient dans le même mouvement de sécularisation dont ils témoignent. Le fait religieux est d'abord protégé parce qu'il continue de concourir puissamment à la cohésion générale d'une société elle-même entrée en mutation, et ce, le temps que l'État, toujours plus autonome, finisse par considérer le fait religieux comme un fait public parmi d'autres et le banalise.

La loi du 29 juillet 1881 fait de la France le premier pays européen à avoir renoncé explicitement à toute condamnation du blasphème ou de tout propos et discours portant atteinte au dogme, qu'il soit religieux ou politique. Elle reste intouchée jusqu'en 1940, à deux exceptions près : l'outrage aux bonnes mœurs est rétabli en 1882 pour endiguer le flot commercial des œuvres pornographiques ; l'apologie d'action terroriste est réprimée à partir de 1893 pour contrecarrer la propagande radicale qui accompagne les vagues d'attentats anarchistes, quoique les dispositions y afférentes, nées dans l'émotion, ne manquent pas d'être attaquées sous le sobriquet de « lois scélérates ». Forte de son expérience de deux siècles d'affrontements idéologiques d'une violence inouïe, la France a cependant consacré, selon son génie propre, le principe de pluralisme. Les députés d'alors ne viennent-ils pas d'affirmer que l'expression publique des opinions effectives, y compris les plus hasardeuses, périlleuses ou fâcheuses, ne peut que consolider à terme les positions médianes et modérées car seule une société de la diversité concrète et du dialogue réel peut garantir la pérennité de la démocratie ?

2. L'ERREUR LÉGALE

Le péché originel

La loi sur la presse de 1881 montrera une robustesse suffisante pour traverser les affres de la collaboration puis les méandres de la décolonisation. En dotant d'un souffle monarchique la Constitution de 1958, Charles de Gaulle remet également au goût du jour le délit d'offense au président de la République, dérivé du crime de lèse-majesté. Le général recourra près de cinq cents fois à ce chef d'accusation pour faire taire les polémiques à son encontre, mais la veine se tarira, dès Georges Pompidou et pour l'ensemble de ses successeurs. C'est encore lui qui bénéficiera de l'ultime grande interdiction d'un périodique. Alors qu'il vient de décéder le 9 novembre 1970 à La Boisserie, *L'hebdo Hara-Kiri* titre son numéro 94 du 16 novembre : « Bal tragique à Colombey – 1 mort », en référence à l'incendie meurtrier deux semaines plus tôt du dancing isérois le 5-7. Raymond Marcellin, ministre de l'Intérieur, fait « interdire à l'exposition et à la vente aux mineurs » le journal qui reparaît une semaine plus tard sous le nom de *Charlie Hebdo*.

En ces Trente Glorieuses finissantes, tout permet de penser que la France peut échapper au sort ambivalent des autres pays européens, qu'elle représente un modèle de séparation du politique et du religieux, que ses tribunaux sont depuis plus d'un siècle étrangers aux questions de blasphème, de sacrilège et même d'offense au culte. Cependant, on ne peut escamoter la résurgence à l'échelle nationale et internationale de questions qui, sans être directement confessionnelles, ne présentent pas moins une dimension intrinsèque de sacralité. Cette mutation accompagne l'appréhension renouvelée du nazisme, bientôt du communisme qui se fait jour et de ce que les totalitarismes ont de lié dans leur relation au Mal radical. En France, plus singulièrement, ce mouvement se traduit par la fin de l'occultation moins de la Shoah comme l'a montré François Azouvi que de Pétain et de l'État français.

C'est en 1971 que sort *Le Chagrin et la Pitié*, le film documentaire de Marcel Ophüls, et en 1973 qu'est publiée *La France de Vichy*, la traduction en langue française du livre de l'historien américain Robert Paxton. Coup sur coup, au cinéma puis en librairie, ces deux entreprises d'investigation sur l'Occupation s'attachent à dénoncer ce qu'elles conçoivent et qui deviendra dès lors « le mythe résistancialiste », obligeant la France à se contempler dans le « miroir brisé », pour reprendre une autre formule d'Henry Rousso, « d'un passé qui ne passe pas ». Entre-temps, le 1er juillet 1972, sont intégrées à la loi du 29 juillet 1881 les dispositions de la loi Pleven qui appliquent des limitations supplémentaires à la liberté d'expression en introduisant des peines plus lourdes pour les offenses à caractère raciste. N'est-il pas dans la tradition française de penser que l'on peut tout résoudre, même les contrariétés, voire les contradictions de la mémoire par l'édiction de nouveaux cadres légaux ?

Le malaise, il est vrai, n'est pas qu'intérieur. Débordant les années 1960 pour gagner la décennie 1970, la mise en cause du racisme accompagne naturellement les guerres d'indépendance et les mouvements de décolonisation, mais touche aussi la puissante Amérique où la mort de Martin Luther King en 1968 a engendré l'aventure en rien pacifique des Blacks Panthers. C'est enfin la période qui voit les grandes capitales européennes, à commencer par Paris, faire le choix d'une main-d'œuvre immigrée bon marché plutôt que d'opérer les réformes que réclame la vétusté de leurs appareils industriels.

L'origine de la loi Pleven remonte donc aussi, pour partie, à l'adoption par l'ONU, le 21 décembre 1965, de la Convention internationale sur l'élimination de toutes les formes de discrimination raciale, qui engage les nations du globe à « promouvoir l'entente entre les races ». Lors de la signature de la Déclaration, la France indique qu'elle interprète cette Convention « comme déliant les États parties de l'obligation d'édicter des dispositions répressives qui ne soient pas compatibles avec les libertés d'opinion et d'expression, de réunion ou d'association pacifique ». Dans les faits, très rapidement, plusieurs projets de loi visant à modifier la loi de 1881 sont ébauchés, manifestant dans leur ensemble une telle volonté de renforcer le caractère répressif des dispositions en vigueur que le gouvernement décide, pour rester maître de l'agenda, de déposer le sien. C'est ainsi que, le 1er juillet 1972, les députés votent à l'unanimité la proposition du garde des Sceaux, René Pleven.

Cette proposition consiste pour l'essentiel à borner la liberté d'expression de pénalités accrues en cas de racisme avéré. Référence est faite à l'article 23 : « Seront punis comme complices d'une action qualifiée crime ou délit ceux qui, soit par des discours, cris ou menaces proférés dans des lieux ou réunions publics, soit par des écrits, imprimés, dessins, gravures, peintures, emblèmes, images ou tout autre support de l'écrit, de la parole ou de l'image vendus ou distribués, mis en vente ou exposés dans des lieux ou réunions publics, soit par des placards ou des affiches exposés au regard du public, soit par tout moyen de communication au public par voie électronique, auront directement provoqué l'auteur ou les auteurs à commettre ladite action, si la provocation a été suivie d'effet. » Mais c'est l'extension qui importe. Les textes valent d'être ici donnés *in extenso*, avec pour seule variation, dans la version de 2004, le montant des amendes donné en euros :

Article 1er – L'article 24 de la loi du 29 juillet 1881 sur la liberté de la presse est complété par un cinquième alinéa ainsi conçu :

« Ceux qui, par l'un des moyens énoncés à l'article 23, auront provoqué à la discrimination, à la haine ou à la violence à l'égard d'une personne ou d'un groupe de personnes à raison de leur origine ou de leur appartenance ou de leur non-appartenance à une ethnie, une nation, une race ou une religion déterminée, seront punis d'un emprisonnement d'un mois à un an et d'une amende de [45 000 euros] ou de l'une de ces deux peines seulement. »

Article 3 – Le deuxième alinéa de l'article 32 de la loi précitée du 29 juillet 1881 est rédigé comme suit :
« La diffamation commise par les mêmes moyens [énoncés dans l'article 23] envers une personne ou un groupe de personnes à raison de leur origine ou de leur appartenance ou de leur non-appartenance à une ethnie, une nation, une race ou une religion déterminée sera punie d'un an d'emprisonnement et de [45 000] euros d'amende ou de l'une de ces deux peines seulement. »

Article 4 – L'alinéa 3 de l'article 33 de la loi précitée du 29 juillet est rédigé comme suit :
« Le maximum de la peine d'emprisonnement sera de six mois et celui de l'amende de [22 500 euros] si l'injure a été commise [...] dans les conditions prévues à l'alinéa précédent, envers une personne ou un groupe de personnes à raison de leur origine ou de leur appartenance ou de leur non-appartenance à une ethnie, une nation, une race ou une religion déterminée. »

C'est ce dernier point qui est décisif : les mêmes anciennes dispositions intègrent donc, désormais, le critère d'appartenance ou de non-appartenance à une religion déterminée. Cette appartenance équivaut à celle que commande « une ethnie, une nation, une race ». De surcroît, elle pourra être également revendiquée par « une personne » ou « un groupe de personnes ». La révolution qu'implique cette innovation est si spectaculaire qu'elle passe, dans l'instant, inaperçue.

L'affiliation et l'allégeance

Résumons. Tout d'abord, les dispositions prévues par la loi Pleven sous le chef desquelles les propos dégradants peuvent être poursuivis sont au nombre de cinq : provocation à la discrimination, provocation à la haine, provocation à la violence, diffamation et enfin injure. Notons, pour commencer, que la provocation à la discrimination ou à la violence appelle l'acte là où la provocation à la haine requiert le sentiment. En tant que telle, la haine, pas plus que l'amour, de même que l'attraction ou l'aversion, la sympathie ou l'antipathie, n'est condamnée en droit français. Elle paraît d'autant plus difficilement pouvoir l'être que la « provoquer » ne renvoie à aucun mouvement qui serait parfaitement identifiable *a priori* et quantifiable *a posteriori*. Aussi, constituer de la sorte en délit la provocation à un sentiment semble une régression que ne dépareillerait pas la réintroduction pure et simple du délit d'opinion.

Pour autant, les provocations à la discrimination et à la violence, bien que relevant toutes deux du champ de l'agir, méritent aussi d'être différenciées. Alors que l'interdiction de susciter un acte de violence, forcément quantifiable, renvoie clairement à l'intégrité de l'ordre public et par là du citoyen, la prohibition de la discrimination peut se rapporter à des éléments matériels aussi bien que diffus. Enfin, les délits de diffamation et d'injure étaient d'ores et déjà punis, mais seulement lorsqu'ils visaient des particuliers : l'atteinte à l'honneur de la personne en raison de la relation d'une information préjudiciable, parce que fausse ou improuvable, ou l'agression envers l'individu, gratuite parce sans imputation d'aucun fait vérifiable, étaient deux sortes d'imperfections professionnelles mais inégales, la seconde ne recouvrant qu'une partie résiduelle des infractions dans les contentieux de presse. La loi Pleven étend le champ des victimes aux « groupes de personnes » par-delà même l'espace médiatique.

Cette extension laisse perplexe. L'intention du législateur, en soi louable, entend faire basculer le racisme d'expression de l'opinion indifférente au délit répréhensible. Certes, mais l'appartenance à une race ou à une ethnie peut paraître alors autrement plus décisive que l'origine, dont on ne sait si elle est aussi sociale ou professionnelle, ou l'appartenance à une nation, dont on ne sait si elle renvoie au pays où l'on est né, celui où l'on a grandi, celui dont on détient le passeport ou celui dont on parle la langue. Surtout, l'ajout final de cet élément visiblement rapporté qu'est l'appartenance ou la non-appartenance « à une religion déterminée » paraît peu sensé. Quatre à cinq mots qui ouvrent des perspectives infinies : inutile de demander au législateur ce qu'il peut entendre par « déterminée » alors qu'il a quelque peine à définir ce qu'est une « religion » sinon à la concevoir comme une « appartenance », c'est-à-dire comme une identité qui méconnaît précisément le principe d'autodétermination, la liberté de culte, la faculté de changer de religion. Or, comme le note la juriste Anne-Marie Le Pourhiet dans son article « Le droit français est-il Charlie ? » : « On adhère à une religion, ou on l'embrasse, mais on ne lui appartient certainement pas ! » Et de souligner par ailleurs que « l'injure à l'égard d'un "groupe de personnes à raison de leur appartenance à une religion" ne se distingue pas de l'outrage à une "communauté religieuse" réprimé par l'article 166 du code pénal d'Alsace-Moselle », donc à l'article de la loi concordataire qui condamne explicitement le blasphème !

C'est bien de la confusion entre l'affiliation et l'allégeance qu'il s'agit, de surcroît dans un cadre communautaire : en introduisant le groupe comme victime potentielle de l'offense, la loi Pleven ouvre l'action non seulement à toute personne physique et morale, mais aussi, comme le précise l'article 48-1, adjoint à l'article 48, à « toute association, régulièrement déclarée depuis au moins cinq ans à la date des faits, se proposant, par ses statuts, de combattre le racisme ». Autrement dit, et au pire, une cellule activiste peut porter plainte au nom d'une communauté dont les membres n'ont pas à être solidaires de la démarche entreprise puisque l'adhésion religieuse est objectivable sur le modèle de l'appartenance ethnique.

Cette loi votée en 1972 marque une rupture fondamentale dans l'appréhension des limites de la liberté d'expression. D'une part, elle permet à des groupes confessionnels de saisir la justice sous trois chefs d'accusation différents pour dénoncer « soit des discours, cris ou menaces proférés dans des lieux ou réunions publics, soit des écrits, imprimés, dessins, gravures, peintures, emblèmes, images ou tout autre support de l'écrit, de la parole ou de l'image vendus ou distribués, mis en vente ou exposés dans des lieux ou réunions publics, soit par des placards ou des affiches exposés au regard du public, soit par tout moyen de communication au public par voie électronique ». D'autre part, elle ouvre à ces groupes confessionnels la perspective de nouveaux recours afin de faire valoir leurs droits.

Comment les principales religions instituées réagissent-elles à cette opportunité ? La hiérarchie catholique, qui se sait forte d'une assise sociologique encore massive et qui bénéficie d'un cadre de relation longuement construit avec les autorités de la République, est alors encline à préférer le dialogue au contentieux, les bureaux feutrés aux prétoires tumultueux. Qu'en pensent des communautés plus habituées au statut de minorité ? Selon Philippe Portier : « Les protestants, même évangéliques, sont restés en retrait, sans doute parce que leur identité est liée au principe de liberté de conscience et d'opinion. Il en va de même pour les juifs, préoccupés, davantage que par les paroles sacrilèges, par les agressions que subissent les membres de leur communauté. » Autant dire que, dans un premier temps, nul n'entend vraiment instrumentaliser la loi à l'avantage de sa foi. Il faudra se sentir et se savoir marginal au sein de son propre culte pour commencer à y penser et donner le mauvais exemple en allant chercher devant le tribunal civil une légitimité que l'on se voit refuser par le divin office.

Effet d'aubaine

L'utilisation opportuniste de la loi Pleven, comme nouveau combat contre le blasphème, va trouver ses meilleurs leviers dans la périphérie traditionaliste du catholicisme. D'un point de vue politique, cette mouvance, dont les premiers animateurs ont souvent été issus des rangs de Vichy et de l'Algérie française, se veut le pendant chrétien et français, à l'extrême droite, de l'aile païenne et européiste alors en flèche. Elle participe cependant pleinement de la vague intégriste qui est née du refus du concile Vatican II et qui a trouvé son chef de file en la personne du schismatique Mgr Lefebvre, défenseur de la conception maurassienne d'une « Église de l'ordre ».

Parmi les militants « tradis » les plus engagés, c'est Bernard Antony, un ancien journaliste rompu aux médias, qui va le premier comprendre de quel faramineux profit peut être la nouvelle législation. Selon la logique de l'agit-prop commune à tous les groupuscules, il s'engouffre dans la brèche et crée, en 1984, l'Alliance générale contre le racisme et pour le respect de l'identité française et chrétienne (AGRIF) qui se distingue quelques années plus tard, en 1988, en dénonçant *La Dernière Tentation du Christ*, le film de Martin Scorsese. Cette association, à cheval sur les meetings du Front national et les messes de l'Internationale lefebvriste, a pour but affiché d'intenter des procès contre toute forme d'expression qu'elle considère comme blasphématoire, tout en omettant soigneusement le mot. Son intitulé même duplique la loi puisqu'elle établit à son tour un parallèle entre dénigrement raciste et dénigrement religieux : plus qu'un habile faux nez pour se fondre dans le décor de la protestation normative, l'acronyme reproduit, consciemment ou non, le tranchant dialectique du blasphème qui est de toujours pouvoir renverser les rôles entre l'énonciateur et le dénonciateur.

On ne saurait attribuer à René Pleven l'entière responsabilité de ce détournement. La loi n'autorise pas le retour du blasphème, elle va être débordée, on l'a vu, par un retour bien plus puissant, d'ampleur internationale, dont l'affaire Rushdie donne le *la*, mobilisant les foules, cristallisant les idéologies, distribuant les camps. La France devient alors la caisse de résonance d'une convulsion planétaire qui l'oblige à mesurer la transformation, en un demi-siècle, de son paysage religieux. Elle, qui compte les plus grandes communautés juive et musulmane d'Europe, doit se défendre contre la transposition fantasmée, sur son territoire, du conflit israélo-palestinien, pointe avancée d'un « choc des civilisations » dont sa tradition de pensée lui fait instinctivement refuser les termes. La République ne peut que constater un éveil des communautarismes que dynamise, au sein des corps religieux, la montée en puissance de groupes fondamentalistes ou piétistes. C'est son culte patriotique même, à l'instar d'autres cultes, qu'elle voit reculer, quand il n'est pas lui aussi brocardé. Quant à la laïcité, désormais disputée, alors qu'elle devait garantir l'incroyance, la voilà sommée de légitimer les croyances.

Aussi n'est-il pas surprenant que la question du blasphème revienne hanter l'espace public. La demande d'une protection de la croyance réunit les extrémismes confessionnels, polarise les activismes contestataires, interpelle les grands corps religieux. L'Union des organisations islamiques de France, de tendance salafiste, reçoit le soutien du Mouvement contre le racisme et pour l'amitié entre les peuples et des Indigènes de la République, formations là encore antiracistes, pour inscrire la lutte contre l'« islamophobie » dans la loi. L'Institut Civitas, une émanation de la Fraternité Saint-Pie X qui a pris la suite de l'AGRIF, réclame un plan national de sauvegarde du sacré et dénonce la « christianophobie » ambiante tout en affirmant son prosionisme. La rivalité mimétique bat son plein et, avec elle, la victimisation qui se traduit par une intense judiciarisation. Les institutions se sentent obligées d'embrayer. Ce qui se vérifie au sein du monde juif, sous la pression des néohassidiques, et dans le monde protestant, sous la pression des évangéliques, ces deux mouvements ayant en commun leurs racines américaines et leurs méthodes marketing. Le monde catholique lui-même change, pris à sa crainte de n'être plus bientôt que la première minorité de France. Inspiré par la ligne définie par Jean-Paul II face à la désacralisation dominante en art, l'épiscopat se dote, en 1996, de Croyances et Libertés, un organe qui a pour mission de défendre, par le recours en justice, « d'une part, le droit au respect des croyances, d'autre part, les dogmes, les principes, la doctrine de l'Église catholique ».

De 1984 à 2009, il faut ainsi compter vingt procès, à suivre Jean Boulègue, intentés pour punir de supposés blasphèmes sous couvert de contestations de paroles, d'écrits ou d'images jugés provocateurs, injurieux ou diffamatoires envers une religion. Dans dix-huit cas, les plaignants se sont présentés comme catholiques ; dans les deux restants, comme musulmans – cette différence de masse pouvant s'expliquer par une disparité de moyens et l'absence d'autres dénominations n'étant pas significative d'un désengagement. Essais, romans, dessins, photos, affiches, films : les tribunaux seront sommés de statuer sur des torts symboliques risquant fort de ressortir, à tous les sens du terme, inestimables. À défaut de promouvoir une pratique rénovée d'une laïcité révisée, s'instaure l'évidence d'un divorce insoupçonné entre le culte et la culture, d'une volonté de « sainte ignorance » selon l'expression judicieuse d'Olivier Roy. En témoignent les procès qui s'ouvrent à l'aube du XXIᵉ siècle, les plus importants signalant les pires conséquences de la brèche ouverte par la loi Pleven.

3. HOUELLEBECQ ET L'ISLAM

Avant la soumission

Le scandale lié au blasphème le plus retentissant du début de siècle est causé, en 2001, par Michel Houelle-becq et inaugure le débat récurrent autour des positions sur l'islam de l'écrivain le plus lu de France qui va courir jusqu'à la publication, le 7 janvier 2015, le jour même des attentats de *Charlie Hebdo*, de *Soumission*. Quinze ans auparavant, donc, au moment de la rentrée littéraire d'automne et à l'occasion de la parution de *Plateforme*, Houellebecq accorde un entretien au magazine *Lire* dans lequel il reconnaît partager avec le personnage principal de son roman « un immense mépris pour l'Occident » avant d'exprimer son aversion des monothéismes, particulièrement de l'islam qu'il qualifie de religion « la plus con ».

Une plainte est immédiatement déposée par quatre associations musulmanes, la Société des habous et des Lieux saints de l'islam, présidée par le recteur de la Grande Mosquée de Paris, l'Association rituelle de la Grande Mosquée de Lyon, la Fédération nationale des musulmans de France et la Ligue islamique mondiale. La plainte se fonde sur deux des articles de la loi Pleven évoqués précédemment : l'article 24 portant sur la provocation à la discrimination, à la haine ou à la violence à raison de l'appartenance à une religion déterminée et l'article 33 portant sur une injure commise envers une personne ou un groupe de personnes à raison de l'appartenance à une religion déterminée.

Le 17 septembre, jour du procès, la Ligue des droits de l'homme se joint aux poursuites : « L'intolérable charge contre l'islam et les musulmans à laquelle s'est livré Michel Houellebecq s'inscrit, certes, dans l'air du temps. Parce que la lutte contre les discriminations et le racisme doit s'appliquer à tous, Michel Houellebecq doit répondre de ses propos. » Ce soutien aux plaignants qui se veut naturel n'est pas sans poser plusieurs problèmes. Tout d'abord, ce communiqué émane d'une organisation plus connue pour combattre le racisme que le blasphème. Ensuite, il y est affirmé que l'attaque de Houellebecq contre l'islam est une attaque contre les musulmans – « charge contre l'islam et les musulmans » –, alors que Houellebecq ne s'est exprimé que sur l'islam en tant que religion et n'a émis aucun jugement sur les musulmans en tant que personnes. Le communiqué poursuit par une confusion significative entre confession et ethnie en soutenant que le jugement émis par l'auteur est un propos raciste : « parce que la lutte contre la discrimination et le racisme doit s'appliquer à tous ».

Tous ces courts-circuits vont prendre un tour classique. En attendant, les amalgames du communiqué de la Ligue des droits de l'homme vont nourrir les témoignages et plaidoiries des requérants. Pour autant, l'on ne sait trop ce que l'on juge de l'œuvre et de l'auteur, les propos extrêmement violents du personnage principal du roman n'ayant pas été retenus au titre qu'il s'agit d'une œuvre de fiction. C'est donc l'entretien paru dans *Lire* de septembre 2001 qui passe, dans tous les sens du mot, à la question.

La croyance contre le croyant ?

Le procès se déroule autour de deux motifs essentiels : savoir si l'insulte à une religion constitue ou non une insulte à l'encontre des fidèles de cette religion ; savoir si exprimer de la haine envers une religion est forcément corrélé à une provocation à la haine envers les fidèles de cette religion. Toutefois, ces deux motifs vont être dans un premier temps recouverts par la fausse évidence selon laquelle le fait religieux déterminerait, en soi, un traitement singulier qui lui vaudrait cas d'exception.

L'accusation va en effet d'abord plaider que les propos de Houellebecq constituent un outrage à la religion. Elle pourrait arguer que qualifier de « conne » la religion musulmane revient à insulter les musulmans de « cons », mais il n'en est rien. Ce qui est mis en cause est l'outrage en tant que tel et qui, en tant qu'outrage à la religion, constituerait subséquemment une offense aux croyants. Ce qui revient à accuser l'auteur d'avoir commis un blasphème, au sens le plus strict, et donc d'en être justiciable ! La défense se concentre donc sur la distinction entre la religion et le groupe afin de récuser l'amalgame en les dissociant : « Je n'ai jamais manifesté le moindre mépris pour les musulmans, mais j'ai toujours autant de mépris pour l'islam. »

Le tribunal de grande instance de Paris, présidé par le juge Nicolas Bonnal, doit donc établir si les personnes représentées par les parties civiles ont été visées en tant que personnes par une injure ou une provocation à la haine. Ces accusations sont fondées sur trois passages de l'entretien qui avaient particulièrement choqué. Tout d'abord, à la question : « Pour l'islam, ce n'est plus du mépris que vous exprimez, mais de la haine ? », l'auteur n'a-t-il pas dit : « Oui, oui, on peut parler de haine » ? Le jugement commente : « Il ne peut être considéré qu'exprimer uniquement, et d'ailleurs dans des termes distanciés (*on peut parler*), sa haine pour une religion constituerait un appel à la haine envers le groupe de personnes qui pratiquent cette religion ou se réclament d'elle. L'énonciation d'une opinion personnelle relativement à une religion, envisagée au sens conceptuel du terme, et qui n'est accompagnée d'aucune exhortation ni appel à la partager, ne constitue pas une provocation à la haine, à la violence ou à la discrimination envers un groupe de personnes à raison de leur appartenance à cette religion, même si elle peut heurter ces personnes elles-mêmes dans leur attachement communautaire ou leur foi. »

Plus loin dans l'entretien, l'auteur a affirmé : « La lecture du Coran est une chose dégoûtante. Dès que l'islam naît, il se signale par sa volonté de soumettre le monde. Dans sa période hégémonique, il a pu apparaître comme raffiné et tolérant. Mais sa nature, c'est de soumettre. C'est une religion belliqueuse, intolérante, qui rend les gens malheureux. » Le jugement prend encore une fois le parti de la défense : « M. Houellebecq exprime dans cet extrait non plus un sentiment intime mais des opinions personnelles présentées comme relevant successivement des domaines de l'analyse littéraire historique et théologique. Ces jugements peuvent bien évidemment être désapprouvés, discutés ou réfutés. Il est aisément compréhensible que ces propos aient pu heurter les musulmans, compte tenu, notamment, de l'adjectif "dégoûtant" pour qualifier la lecture du Coran. Ces propos ne sont cependant accompagnés d'aucun appel à en tirer des conséquences discriminatoires à l'égard de quiconque. Les personnes se réclamant de l'islam sont au contraire présentées comme les victimes de la religion à laquelle elles appartiennent et font l'objet d'une commisération qui n'apparaît teintée ni d'ironie ni de mépris. L'expression de ces jugements de valeur portés sur une religion au travers de son texte saint, de son développement historique et de ses caractéristiques doctrinales, ne renferme ainsi aucune incitation à la haine, à la violence ou à la discrimination envers le groupe des fidèles musulmans eux-mêmes. »

La démonstration est juridiquement limpide. Si elle suspend le retour déguisé au blasphème, sans doute involontaire, mais néanmoins certain que promeut la Ligue des droits de l'homme à côté des plaignants, autrement dit si elle ignore délibérément l'ordre du sentiment irrationnel qu'appellerait singulièrement le fait religieux, c'est pour mieux replacer le culte au sein de la culture.

Même pas mal !

Est-ce tout ? Non. L'accusation s'est par ailleurs longuement arrêtée sur la phrase, citée plus haut, qui a le plus été relayée dans les médias et qui constitue selon elle un délit d'injure : « La religion la plus con, c'est quand même l'islam. Quand on lit le Coran, on est effondré, effondré ! » Le tribunal admet ici que les propos de l'auteur ont « une connotation outrageante » et qu'ils ne sont « caractérisés ni par une particulière hauteur de vue ni par la subtilité de leur formulation », mais il rappelle encore une fois la distinction entre une religion et ses fidèles : « L'utilisation du superlatif ("la religion la plus con") démontre cependant qu'aux yeux du prévenu, toutes les religions (en tout cas les religions monothéistes, selon une distinction sur laquelle il lui plaît d'insister) méritent d'être affublées de ce qualificatif, mais à des degrés différents. » L'argument paraît spécieux ? Non car le court-circuit se produit précisément à cet endroit. « L'appréciation ainsi portée concerne donc uniquement une religion considérée comme système de pensée et comparée à d'autres. Dans ces conditions, écrire que "l'islam est la religion la plus con" ne revient nullement à affirmer ni à sous-entendre que tous les musulmans devraient être ainsi qualifiés.

Ce propos ne renferme aucune volonté d'invective, de mépris ou d'outrage envers le groupe de personnes composé des adeptes de la religion considérée. »

Fermez le ban ! Il est vrai que, dans le tintamarre médiatique provoqué par l'affaire, des personnalités publiques ont vivement exprimé leur soutien à l'auteur, et ce en des termes proches de ceux de la Cour. Dans son article intitulé « Houellebecq a le droit d'écrire », Salman Rushdie a insisté sur l'absolue nécessité de dissocier une religion de ses fidèles : « On touche ici aux fondements d'une société ouverte. Les citoyens ont le droit de porter plainte pour discrimination dès lors qu'ils sont personnellement visés, mais certainement pas dans les cas d'opinions divergentes, même lorsque celles-ci sont exprimées avec vigueur ou avec grossièreté. On ne peut ainsi entourer de barrières les idées, les croyances ou les points de vue. » Prenant également la défense de Houellebecq, Tariq Ramadan a jugé indispensable l'intégration par la communauté musulmane de la compréhension occidentale de la liberté d'expression : « Les citoyens de confession musulmane ne sont pas très habitués aux formes de la liberté d'expression qui ont cours en Europe : ils ne sont, par exemple, pas habitués à ce que l'on se moque de la religion, musulmane ou autre. Il faut donc, face à la critique, qu'ils apprennent à prendre une distance critique, à relativiser ou à ignorer. »

Le jugement du tribunal de grande instance de Paris rendu lors du procès de Michel Houellebecq reste à plusieurs égards une référence pour les partisans d'une intransigeance sourcilleuse quant à la liberté d'expression en matière religieuse : il rappelle vigoureusement en effet que la loi ne protège ni des religions ni des dogmes ou encore des symboles et pas même des croyants, mais des individus. Ce jugement aurait pu faire jurisprudence. Il a au contraire créé un précédent incitatif, voir impératif pour les groupes confessionnels avides de faire admettre à la République que la liberté d'expression doit « s'arrêter là où elle fait mal ».

4. Scandales à corps et à cris

« Sainte » capote...

Dans la course à la reconnaissance du blasphème qui ne dit pas son nom, les catholiques des marges, particulièrement lorsqu'ils se disent traditionalistes, ne sont pas en reste. Ils prennent même volontiers rang de précurseurs. De *Je vous salue, Marie* de Jean-Luc Godard à *La Dernière Tentation du Christ* de Martin Scorsese en passant par *Amen* de Costa-Gavras, l'AGRIF mène ainsi une véritable croisade juridique, poursuivant toute œuvre qu'elle qualifie de provocatrice, offensante, discriminante, mais qu'elle considère en fait comme sacrilège. Le plus souvent déboutée, l'association ne se décourage pas. Bien au contraire, elle persiste. Elle va même réussir à rallier à son action d'autres associations catholiques jusqu'à obtenir une première victoire significative. Ce sera à l'occasion de l'affiche de *La Cène* en

2005. En attendant, une autre affaire, dite de la « Sainte Capote », explique le changement de cap plus général qu'a effectué la justice française en matière religieuse.

En 2004, l'AGRIF intente un procès à l'antenne de Haute-Garonne de l'association Aides qui diffuse un prospectus sur lequel figure une sœur encadrée de deux préservatifs avec pour légende « Sainte Capote, protège-nous ». Le 29 mars 2004, Aides est condamnée en première instance à Toulouse en vertu de la loi de 1881, condamnation confirmée par la cour d'appel de Toulouse le 12 janvier 2005. Reprenant le jugement du tribunal de Toulouse, la cour d'appel commente : « Associer l'image dénaturée d'une religieuse à l'expression "Sainte Capote" et à un dessin de préservatifs, alors qu'il est connu de tous que l'Église catholique, par la voix de Jean-Paul II, refuse l'usage du préservatif, a pour effet de créer un amalgame provocateur, de mauvais goût, et de susciter l'idée d'un certain anticléricalisme ; ce "visuel" a donc légitimement pu être ressenti par les catholiques, du moins pour certains d'entre eux, comme une offense envers eux en raison de leurs croyances et de leurs pratiques », avant de conclure : « Les documents incriminés sont donc constitutifs du délit d'injure envers un groupe de personnes suffisamment déterminé, la communauté des catholiques, à raison de son appartenance à une religion. »

Cet arrêt de la cour d'appel de Toulouse témoigne d'une interprétation de la loi autre que celle qui a prévalu dans le jugement Houellebecq. L'offense retenue est celle exercée à l'encontre de symboles de l'Église

172

catholique – les ordres, les intercessions, les saints –, mais aussi envers un enseignement de l'Église catholique – sur le préservatif, tel que réitéré par Jean-Paul II. La défense affirme que l'affiche n'attaque pas directement les croyants à raison de leur appartenance à l'Église catholique. L'affiche vise le catholicisme et non pas les catholiques. Mais le jugement du TGI voit dans cette offense aux symboles et à l'enseignement de l'Église catholique une offense envers les fidèles. La loi qui condamne théoriquement les injures et les diffamations à raison d'une appartenance à une religion déterminée condamne ici l'atteinte à un sentiment religieux.

Est-on là face à un prolongement attendu de la loi, un assouplissement bienvenu de la juridiction ou, au contraire, face à un tout autre parti pris législatif, communautariste, voire face à un égarement politique, faisant fi de la philosophie ? Cet arrêt marque indéniablement un tournant. Il sera annulé un an plus tard par la Cour de cassation, mais il témoigne d'une rupture depuis insurmontable.

Tandis que les fervents défenseurs de la laïcité, comme Jean Boulègue, dénoncent « une interprétation confessionnaliste de la loi » et un réel danger de voir la liberté d'expression être restreinte au titre que cet arrêt « constitue une interprétation de la loi revenant *de facto* à interdire le blasphème », les catholiques intégristes se félicitent d'avoir remporté « une remarquable victoire judiciaire ». Ce faisant, ils ouvrent le champ de la contestation à la concurrence de l'institution qui ne peut leur abandonner la défense de son identité. Alors qu'elle doit également faire face au reproche d'inertie de ses ouailles, elles-mêmes préoccupées par la visibilité grandissante de l'islam qui contredit la politique de discrétion à laquelle elles s'obligent depuis le concile Vatican II et ses suites, la hiérarchie catholique se trouve en quelque façon sommée d'agir.

Une Cène empoisonnée

En février 2005, alors que l'association Aides de Haute-Garonne vient de voir sa condamnation confirmée par la cour d'appel de Toulouse, l'association Croyances et libertés, dirigée par Mgr Jean-Pierre Ricard, président de la Conférence des évêques de France, intente un procès à la société de stylisme Marithé et François Girbaud. L'objet de la plainte, pour injure, est une affiche publicitaire de quarante mètres exposée à Neuilly. Inspirée du tableau *L'Ultima Cena* de Léonard de Vinci, une photographie contemporaine, œuvre de Bettina Rheims, y représente le dernier repas du Christ, entouré des disciples. À Jésus et à onze apôtres ont été substitués des personnages féminins, aux allures audacieuses, le douzième apôtre étant représenté par un homme, torse nu, de dos, enlacé par l'une de ces femmes, sans doute pour indiquer vaguement la trahison de Judas.

L'affiche de Marithé et François Girbaud passe en jugement devant le tribunal de grande instance de Paris le 10 mars 2005. L'avocat de l'association Croyances et libertés, Me Thierry Massis, ne prend pas la peine de laïciser son discours en invoquant l'offense, l'atteinte à la dignité, au sentiment ou autre. Bien au contraire, il accuse la marque de « dérision », de « dévoiement », d'une « utilisation mercantile d'un acte fondateur » dans un but « blasphématoire ». La représentante du parquet, quant à elle, souligne que l'affiche n'a pas vocation à choquer, qu'elle constitue une relecture contemporaine et esthétisante du tableau de Léonard de Vinci : « La scène n'est ni pornographique ni grotesque. La présence d'un homme nu vu de dos ne me semble pas obscène en 2005. » Elle réclame que l'association soit déboutée de sa plainte, estimant que « l'interdiction serait une censure de principe ».

Mais le président Jean-Claude Magendie, se prononçant en référé, décide l'interdiction d'affichage en tout lieu public, proposant une lecture de l'affiche en accord avec l'association Croyances et libertés : « Or, attendu que l'examen de cette image permet de constater que sont substituées à Jésus et à ses apôtres des femmes qui parodient les attitudes et les gestes peints par Léonard de Vinci ; que la présence, dans une position non dénuée d'ambiguïté, d'un homme dos nu introduit un motif d'une dérision inutilement provocateur ; qu'il convient encore d'observer que l'interprétation, par le créateur de l'affiche litigieuse, de la fresque de Léonard de Vinci comporte un élément qui introduit une dérision supplémentaire de symboles religieux majeurs ; qu'en effet, lorsqu'on sait que la main et la colombe, dans l'iconographie chrétienne, appartiennent aux représentations symboliques traditionnelles de Dieu le

Père et de l'Esprit Saint, l'on peut être surpris que figure, entre les jambes de l'une des femmes représentant un apôtre, une colombe elle-même posée sur une main qui n'appartient manifestement à aucun des personnages représentés. »

L'affiche est retirée de tous les lieux publics, mais elle n'est pas pour autant censurée dans les journaux. Une fois son caractère offensant établi, l'ordonnance se rapporte à deux textes fondamentaux pour fonder sa décision : la Constitution de la République française et la Convention européenne de sauvegarde des droits de l'homme et des libertés fondamentales. S'agissant de la Constitution, le juge cite le premier article qui proclame : « La République assure l'égalité devant la loi de tous les citoyens sans distinction d'origine, de race ou de religion. Elle respecte toutes les croyances. » Ce qu'il commente ainsi : « Il y a lieu d'examiner si le respect des sentiments religieux des catholiques est susceptible d'être atteint par la représentation litigieuse. »

Dire que l'interprétation proposée est contestable relève de l'euphémisme. D'une part, la Constitution est d'État : c'est l'État qui s'engage à respecter les cultes, et non pas les « citoyens » qui s'engagent à respecter les « croyances », la différence entre l'une et l'autre formulation relevant précisément de la sphère publique qui s'attache au seul droit public et au seul espace public. L'engagement de l'État n'engage par ailleurs que lui-même. Enfin, s'il ne saurait être dans les compétences de l'État de juger des « croyances » et du « respect » qui peut leur être dû, il va de soi que « le respect des sentiments des croyants » constitue d'autant moins une évidence. Cette dernière qualification relève du glissement dangereux, dominant dans les autres pays européens, auquel mène la reconnaissance juridique de l'ordre du sentiment : à l'offense à la divinité se substitue l'offense au dévot.

Au jugement des hommes

Reprenons. Si, en vertu de l'article premier de la Constitution, l'État respecte tous les cultes, c'est en vertu de la loi de 1881, telle que révisée en 1972, que l'État protège les citoyens d'offenses (provocation à la haine ou à la violence, discrimination, diffamation, injure) à raison d'appartenance ou de non-appartenance à une religion. Les deux ordres ne peuvent être confondus et, de surcroît, la notion d'atteinte aux « sentiments » religieux n'est nulle part évoquée. Dans l'affaire Marithé et François Girbaud, le juge opte donc pour une interprétation très élargie de la protection des croyants qui entre en contradiction avec le jugement de l'affaire Houellebecq.

Deux autres arguments sont avancés dans l'ordonnance : le caractère intrusif de l'affiche et la gratuité de l'offense. En ce qui concerne le caractère intrusif, le juge considère qu'il représente un élément aggravant : « Le choix délibéré d'installer, dans un lieu de passage obligé pour le public, une affiche aux dimensions imposantes, qu'aucun regard ne peut éviter, constitue un acte d'intrusion agressive et gratuite dans le tréfonds des croyances intimes de ceux qui, circulant librement sur la voie publique et ne cherchant aucun contact singulier avec une œuvre ou un spectacle déterminé, se voient, hors de toute manifestation de volonté de leur part, nécessairement et brutalement confrontés à une manifestation publicitaire et commerciale. » Il en va de même pour la gratuité de l'offense : « S'il n'est pas contestable que l'affiche litigieuse constitue une œuvre de création, il n'en demeure pas moins que, destinée seulement à la promotion des vêtements, sa nature ne lui permet pas de s'inscrire dans un débat d'idées, seul susceptible d'enlever à la critique la gratuité qui en fait une injure, comme le permet par exemple une œuvre littéraire ou cinématographique. » Notons que ni le caractère intrusif, ni la gratuité de l'offense ne font partie des critères retenus par la loi, ce sont là des critères purement jurisprudentiels invoqués et forgés comme tels à l'occasion de ce procès.

Le 8 avril 2005, la cour d'appel de Paris, présidée par le juge François Cuinat, confirme la décision du tribunal de grande instance en qualifiant l'affiche de « représentation outrageante » et en constatant « un dévoiement caractérisé d'un acte fondateur de la religion chrétienne, avec un élément de nudité racoleur, au mépris du caractère sacré de l'instant saisi ». Les conclusions du tribunal, omettant prudemment de se référer à la Constitution de la République française ou à la Convention européenne des droits de l'homme, se contentent de prendre appui sur la loi de 1881 : « La séparation de l'Église et de l'État n'empêche nullement l'application de la loi lorsque c'est la religion qui est, en l'espèce, outragée, les dispositions de l'article 33, alinéa 3, de la loi du 29 juillet 1881 visant expressément l'injure commise envers un groupe de personnes à raison de leur appartenance à une religion déterminée. » Ici encore, le glissement de l'outrage à la religion à l'injure envers un groupe de religieux se fait de manière quasi automatique. La cour d'appel insiste à son tour sur le caractère public de l'affichage et sur la gratuité de l'outrage et renforce leur caractère aggravant.

Disputes de clercs

Les réactions et débats suscités par l'affaire de l'affiche de la Cène abondent dans les médias. Si *Le Monde* et *Le Nouvel Observateur* se veulent d'un avis pondéré au regard de la civilité nouvelle dont ils entrevoient la nécessité, *Libération* et *Marianne* tirent la sonnette d'alarme sur un retour subreptice du délit de blasphème. Surtout, après la reddition du jugement émis par la cour d'appel, plusieurs juristes vont commenter cette décision sur le fond ou sur la forme. Deux de ces commentaires sont rapportés par Jean Boulègue, auxquels il faut ajouter un troisième, qui a en commun avec les deux premiers de cerner ce qu'il faut bien nommer les préjugés du juge, à savoir le caractère subjectif de sa position.

Dans son article « La critique, l'outrage et le blasphème », Patrice Rolland, spécialiste des questions de religion et de laïcité, ne remet pas en cause la lecture de l'affiche qui est celle du juge Magendie. Il entend plutôt démontrer que, à tout prendre, la décision devrait se référer à la jurisprudence Otto-Preminger de la Cour européenne des droits de l'homme et invoquer la similitude en l'espèce d'une injure publique, gratuite et n'offrant aucun droit de réponse. Aussi Rolland, loin de fonder son analyse sur un amalgame entre l'outrage à une religion et l'offense à des croyants, se concentre-t-il plutôt sur le contexte et souligne-t-il les éléments aggravants, dont les caractères intrusif et gratuit de l'affiche, qui, à eux seuls, selon lui, permettent de la condamner.

Avocate de la Ligue des droits de l'homme, Agnès Tricoire, de manière attendue, se montre plus sévère sur le fond. Dans son article intitulé « De l'ordre moral à l'ordre religieux. Les juges condamnent une image pour blasphème », elle reprend l'argumentaire de Jérôme Cottin, professeur à la faculté de théologie protestante de l'université de Strasbourg, pour qui l'affiche ne constitue pas véritablement un dévoiement : « Le logo de la marque est discret, la référence à la Cène est indirecte presque allusive ; les personnages ne portent aucune auréole, le cadre architectural est absent, le pain et le vin (suggéré par un gobelet) ne sont pas devant le Christ mais sur le côté ; la femme en Christ n'est pas en train de rompre le pain ou de tendre la coupe : elle n'opère donc pas une transformation sacramentelle. » Tout au contraire, il s'agit pour Agnès Tricoire de dénoncer l'interprétation qu'en fait l'association Croyances et libertés selon les présupposés qu'elle lui prête : « On peut finalement se poser la question de savoir si ce n'est pas le fait d'avoir représenté un Christ et des apôtres en femmes qui gêne autant l'Église catholique. Soupçon d'autant plus légitime que cette Église refuse tout ministère féminin ordonné. Cette virulente condamnation pourrait donc traduire le malaise de l'Église catholique par rapport à la relation de la femme et du sacré. » Enfin, Agnès Tricoire soutient que le jugement réside dans l'interprétation de l'affiche produite par le juge, interprétation qui ne peut jamais être objective.

C'est ce que souligne également, dans un autre recueil, Pascal Mbongo : « De cette énonciation objective de la démarche du juge, certains auteurs infèrent une objectivité – ou une possible objectivité – de l'appréciation à laquelle se livre le juge. En réalité, cette objectivité est authentiquement aporétique ou, plus exactement, elle est rationnellement impossible pour des raisons qui tiennent au travail initial de qualification des paroles, des écrits ou des images litigieux auxquels le juge doit procéder. » L'ordonnance en référé, interdisant tout affichage public, de la campagne publicitaire de Marithé et François Girbaud constitue dès lors un exemple particulièrement éloquent de cette impossibilité rationnelle d'objectivité : l'affiche peut indifféremment être comprise comme un dévoiement blasphématoire de la Cène ou comme une réinterprétation respectueuse de la Cène. Cette décision appartient seulement à la description que veut bien en faire le juge.

Le problème de l'interprétation est ainsi au centre de la querelle. Il y va du lien ancestral entre le cultuel et le culturel, lequel est devenu instable et dont la variabilité même rend malaisée le déchiffrement du fait religieux, et plus encore ses nœuds de crise, au risque de voir triompher, de part et d'autre des adversaires en présence, le pur arbitraire de passions négatives.

Le choc des religions

Qu'indique cependant, loin de toute métaphysique, le débat juridique ? Lectrice pointilleuse de la loi de 1881, Agnès Tricoire en tire une interprétation stricte, en accord avec les conclusions de l'affaire Houellebecq : « Une chose est d'insulter (dans ce cas, il ne nous paraît pas qu'il y ait insulte) des gens parce qu'ils sont de telle religion (par exemple : "Les musulmans, les juifs ou les chrétiens sont tous des cons"), une autre chose est d'insulter les religions elles-mêmes. Or, en droit français, le délit de blasphème n'existe pas. Pas plus que le délit d'outrage à la morale religieuse. » Elle précise à ce sujet que l'inclusion d'un tel délit avait été proposée lors du débat préparatoire à la Chambre sur la loi de 1881 avant d'être rejetée par le Sénat. Quant au caractère public de l'affichage, elle renvoie à l'exemple des colonnes de Buren, dans la cour du Palais-Royal, et au droit que l'on a « de les aimer ou de les détester ». *Idem* pour le caractère mercantile de l'œuvre, récusé comme élément à charge car ce serait « ajouter à la loi qui ne prévoit, fort heureusement, nulle distinction de ce type quand elle protège la liberté d'expression ».

Alors que Patrice Rolland justifie l'ordonnance en référé et le jugement en appel qui condamnent l'affiche de la Cène, Agnès Tricoire y perçoit un recul inadmissible de la liberté d'expression. Aucune des deux positions ne fait l'amalgame entre l'injure à une religion et l'offense à des croyants, mais elles présentent toutes deux des lectures différentes de la loi de 1881. Si, pour Tricoire, la gratuité et le caractère intrusif de l'offense supposée ne valent pas faits aggravants, ils sont constitutifs du délit pour Patrice Rolland, pour qui l'injure à une religion devient une injure envers les croyants à partir du moment où ils ne peuvent pas lui échapper et qu'elle ne s'inscrit dans aucun débat d'utilité publique. Ces deux interprétations montrent avec force que se posent d'autres questions que l'interprétation juridique, à commencer par celle, toute politique, qui concerne la place du fait religieux dans la France contemporaine.

De ce point de vue, la décision prise par le juge est doublement catastrophique. D'une part, elle porte la loi Pleven à l'extrême de son possible dévoiement théorique. D'autre part, elle autorise à penser que la justice opérerait selon « deux poids, deux mesures » entre les communautés musulmane et catholique. Comment expliquer que Houellebecq ne soit pas condamné pour ses propos, mais que Marithé et François Girbaud le soient pour leur affiche ? L'un des arguments le plus communément cités est celui selon lequel l'affiche s'inscrit dans un projet purement mercantile et constitue par là une offense non seulement gratuite, mais déshonorante puisque dictée par la loi du marché. C'est d'ailleurs celui que retient le juge pour statuer.

Néanmoins, l'argument souffre de trois défauts. Tout d'abord, cette distinction n'a pas lieu d'être : Michel Houellebecq intervient dans le magazine *Lire* à l'occasion de la promotion de *Plateforme*, le but de cette promotion étant la vente de l'ouvrage – non pas qu'il vilipende l'islam pour vendre, mais sa production littéraire n'échappe pas aux règles du marché du livre. Ensuite, cette distinction est subjective, car des féministes pourraient au contraire arguer du libre bénéfice que représenterait une réhabilitation d'autant plus heureuse qu'accidentelle de la place de la femme dans le christianisme. Enfin, cette distinction introduit dans le droit des principes sans valeur juridique en ce qu'elle prétend jeter un voile extrêmement moralisateur sur l'activité banale qu'est le commerce.

Ces subtilités ne sont pas ce qui va ressortir du jugement. C'est évidemment un sentiment d'injustice et d'incompréhension qu'en retire, si ce n'est la communauté musulmane, du moins la pointe la plus activiste en son sein. Des associations musulmanes, voire islamiques, vont chercher désormais à obtenir, elles aussi, une jurisprudence qui serait favorable à la reconnaissance publique de l'honneur de l'islam. L'affaire des caricatures de Mahomet, publiées dans *Charlie Hebdo* en 2006, en sera l'opportunité.

5. CHARLIE AU TRIBUNAL

L'offensive des dévots

Comme on l'a vu et détaillé, l'affaire des caricatures de Mahomet est de loin la plus retentissante de ce début de siècle, et de millénaire, en matière de blasphème. Portée au niveau planétaire par les régimes autoritaires islamiques, elle cristallise toutes les crispations autour de la liberté d'expression des démocraties libérales européennes. En France, seul pays avec le Danemark où l'affaire aboutira devant la justice, les caricatures constituent le point d'orgue d'un affrontement qui se prolonge depuis plus de vingt ans et dont la formule paradoxale du « droit au blasphème » dit l'importance paroxystique. C'est de ce point de vue qu'on en livre ici un second récit, complémentaire du premier qui ouvre cet essai et que l'on a conçu cette fois à partir de l'arrivée des douze caricatures en France et du sort judiciaire qui est alors devenu le leur.

C'est le 1er février 2006 que le journal *France-Soir* est le premier à publier lesdites caricatures. Dans son éditorial, Serge Faubert précise : « Nous voici sommés, nous, citoyens de sociétés démocratiques et laïques, de condamner une douzaine de caricatures jugées offensantes par l'islam. Et sommés par qui ? Par les Frères musulmans, la Syrie, le Djihad islamique, les ministres de l'Intérieur des pays arabes, la Conférence islamique. » Le jour même, des voix s'élèvent pour contester cette publication. Le premier à réagir est le recteur de la Grande Mosquée de Paris, Dalil Boubakeur, qui compare les caricaturistes aux négationnistes avant de les accuser de « porter atteinte au sentiment du sacré qui n'a pas à être jugé ni ridiculisé et encore moins caricaturé par ceux qui n'y croient pas ». D'autres personnalités issues des milieux religieux mais aussi politiques se joignent à cette réprobation. Le lendemain, Jacques Lefranc, le directeur de publication de *France-Soir* est licencié.

Le 3 février, *Le Monde* et *Libération* répliquent en publiant deux des caricatures agrémentées d'articles en défense de la liberté d'expression. Mais c'est l'annonce d'un numéro spécial de *Charlie Hebdo* consacré aux caricatures qui déclenche les hostilités. Pour empêcher cette parution, le Conseil français du culte musulman (CFCM) assigne l'hebdomadaire en référé, mais est débouté pour vice de forme. Le numéro attendu sort le 8 février avec, en couverture, un dessin de Cabu représentant le Prophète consterné et s'exclamant « C'est dur d'être aimé par des cons ! » tandis que la légende porte : « Mahomet débordé par les intégristes ». Les douze caricatures sont reproduites sur une double page à l'intérieur du journal. *Charlie Hebdo* devient ainsi le héros éponyme de cette affaire en France.

Une plainte est déposée six mois plus tard par la Grande Mosquée de Paris et par l'Union des organisations islamiques de France (UOIF) qui se voient rejointes par la Ligue islamique mondiale, réputée financer la seconde. Dans le même temps sont formulées trois requêtes en vue de l'adoption d'une législation réprimant explicitement le blasphème. La première, en date du 22 février 2006, adressée au président de la République et provenant du Conseil français du culte musulman (CFCM), est accompagnée d'une pétition mise en ligne sur le site de l'UOIF : « Nous nous permettons de solliciter votre intervention afin que soient prises les dispositions législatives nécessaires, empêchant l'islamophobie, l'insulte et la diffamation sur Dieu et ses prophètes. »

Cet appel est peu relayé par les médias, mais il est suivi par deux initiatives mieux établies mais aussi plus inattendues : les 28 février et 29 mars 2006, les députés UMP Jean-Marc Roubaud et Éric Raoult déposent deux propositions de textes à l'Assemblée nationale visant à modifier la loi sur la liberté de la presse de 1881. Selon Jean-Marc Roubaud, « la République française se doit de sanctionner tout discours, cri, menace, écrit, imprimé, dessin ou affiche portant atteinte volontairement aux fondements des religions. L'heure n'est pas à alimenter ou entretenir la discorde par la vexation ou la diffamation, les événements récents le prouvent. Il faut protéger les nations contre toutes les dérives qui nourrissent la haine ». À ses yeux, l'article 29 de la loi du 29 juillet 1881 doit faire état de « dessins » à côté des « imprimés » et doit mentionner « portant atteinte volontairement aux fondements des religions », tandis que, pour Éric Raoult, le mot de « caricatures » doit également être intégré ! Les deux propositions des députés UMP sont rejetées par l'Assemblée nationale, mais elles témoignent du ralliement de la droite conservatrice au projet de durcir la loi de 1881.

Les associations musulmanes trouvent également une certaine écoute auprès de l'Église catholique, comme cela avait déjà été le cas dans l'affaire Houellebecq, à tout le moins dans ses franges issues des milieux traditionalistes et charismatiques qui, au même moment, commencent à se rapprocher. Le cardinal Philippe Barbarin, archevêque de Lyon et primat des Gaules, commente ainsi cette sollicitude : « Je n'aimerais pas qu'on fasse cela avec le visage de Jésus. Si je vois ça dans une publication à propos de Jésus, je reconnais que cela me blesse. Donc je comprends la blessure des musulmans et je trouve que ce n'est pas très respectueux. » Quant à Mgr Stanislas Lalanne, alors secrétaire général de la Conférence épiscopale, il justifie la nécessité d'une forme d'autocensure au regard du trouble suscité : « On n'a pas le droit de toucher à ce qui peut blesser et offenser les croyants. Il y a une dimension sacrée à laquelle on n'a pas le droit de toucher : la preuve, tout de suite cela engendre la violence. » Ce n'est pas là toutefois une alliance. Et il en va de même avec les évangéliques qui, bien qu'issus de la Réforme, sont proches de l'intransigeance littéraliste et légaliste des musulmans. Les catholiques entendent garder leur prééminence représentative ainsi que leur ouverture culturelle et considèrent que les rapprochements de ce type, comme il y en aura plus tard à l'occasion de la Manif pour tous, ne sauraient déboucher sur un programme commun des religions contre la République.

Les plus progressistes du progressisme catholique contrebalancent d'ailleurs cette inclination. C'est le cas de l'Observatoire chrétien de la laïcité (OCL) qui déclare : « On a le droit, dans une société qui respecte les consciences, de critiquer les philosophies et la religion, voire les fondateurs de religion. On a aussi le droit de critiquer des actes qui sont faits ouvertement au nom de la Foi, voire de Dieu lui-même. On a le droit de le faire au moyen de la caricature. » C'est le cas également de la revue *Témoignage chrétien*, organe historique des « cathos de gauche ». Le monde du protestantisme courant, luthérien ou calviniste, suit largement cette tendance.

Une autre voix se fait entendre du côté des pourfendeurs des caricatures, c'est celle de l'extrême droite et, dans un grand élan électoraliste, elle se veut pour le coup rassembleuse : « Les croyants ont droit au respect de leur croyance, qu'ils soient musulmans, juifs ou chrétiens. Si l'on condamne, à juste titre, les blessantes caricatures du Prophète des musulmans, à plus forte raison doit-on condamner les ignobles et permanentes caricatures du Dieu incarné des chrétiens. » L'AGRIF, qui se montre habituellement hostile à ce qui relève peu ou prou de l'islam, apporte néanmoins son soutien aux associations activistes musulmanes qui sont ses clones en s'opposant fermement « à tout procédé de dérision, à toute insulte, à tout mépris à l'égard des personnes et des symboles sacrés des autres religions ».

Le front médiatique

Face à cette offensive confessionnelle que d'aucuns auraient dite jadis calotine, de nombreuses voix s'élèvent pour protéger la liberté d'expression. Il ne s'agit pas tant d'apporter son soutien aux caricatures elles-mêmes, dont le bon goût est d'ailleurs souvent mis en doute, mais bien au droit de les publier. Des libelles fustigeant le procès intenté à *Charlie Hebdo* paraissent dans *Le Monde*, *Libération*, *Marianne*, *Le Canard enchaîné*, tandis que les éditorialistes rappellent qu'amalgamer l'injure à une religion et l'injure à des croyants reviendrait à restaurer le délit de sacrilège. Dans le dossier que *Le Nouvel Observateur* consacre à l'affaire, Jean-Marcel Bouguereau défend la liberté d'expression de manière radicale : « Chacun a le droit, en France, de critiquer les religions. Le blasphème est même autorisé. On a parfaitement le droit, jusqu'à preuve du contraire, de vomir les religions, de les juger mensongères, abrutissantes, abêtissantes. À moins qu'on ne veuille rétablir le crime de blasphème ? » Dans ce même numéro du 9 février 2006, Jean Daniel souligne que lui-même n'aurait pas publié ces caricatures, mais qu'il reconnaît aux autres le droit de le faire, en distinguant de la sorte, pour ce qui est des libertés, l'octroi et l'usage.

À gauche, le parti socialiste, tout en condamnant les menaces et les pressions exercées en France comme à l'étranger, s'en remet à la décision de la justice. Le parti communiste et Lutte ouvrière s'engagent explicitement du côté de *Charlie Hebdo*, mais il revient à la Ligue communiste révolutionnaire (LCR) de délivrer le message le plus militant : « La liberté de conscience, la critique de toutes les religions et de toutes les superstitions, la caricature et même le blasphème sont des droits indissociables des principes de démocratie et de laïcisation de la société. Ils sont donc imprescriptibles et ne sauraient s'effacer derrière l'autocensure, la pression des hiérarchies religieuses, la raison des États. » SOS-Racisme, la Ligue des droits de l'homme, l'Union rationaliste, ainsi que, solidarité professionnelle oblige, la Fédération européenne des journalistes, se rangent à cet avis.

L'adhésion de divers « musulmans » à une conception extensive de la liberté d'expression va représenter un apport fondamental au débat. Des écrivains du monde arabe lancent une pétition sur le site *Histoires de mémoire* : « Nous, citoyens du monde et de culture musulmane, croyants, agnostiques, athées ou d'origines culturelles diverses, affirmons notre soutien de principe à la liberté de la presse de traiter, même avec humour, de tous les sujets concernant tous les systèmes de pensée, religieux ou non. » L'initiative est suivie de nombreuses réactions, dont celle, très remarquée et reprise pendant le procès par la défense, de l'écrivain algérien Mohamed Kacimi : « Et que faire des caricatures ? Mieux vaut en rire comme le dit le Coran : "Ils [les incroyants] se moquent, mais, en matière de moquerie, Dieu est insurpassable." » L'Association du Manifeste des libertés (AML) rappelle de son côté que l'enjeu est international : « L'actuel projet de l'Organisation de la conférence islamique et de la Ligue arabe demandant à l'ONU d'adopter une résolution interdisant les atteintes aux religions – qui rencontrera, à coup sûr, la plus grande sympathie chez certains groupes chrétiens et juifs – est une remise en cause d'un acquis européen dont nous avons besoin plus que jamais, celui de la liberté de penser, indissociable de la liberté de conscience, du droit à l'athéisme et au blasphème. »

Une autre sorte de réaction doit cependant retenir l'attention, celle des « islamo-gauchistes ». Sur son site, le Mouvement des Indigènes de la République (MIR) soutient que l'affaire des caricatures de Mahomet ne relève en rien du débat sur les libertés, mais qu'elle illustre la pression raciale qu'ont à endurer les populations d'origine arabo-maghrébines en France : « Poser le problème en termes de querelles théologiques, de liberté d'expression ou de "droit au blasphème" relève de la supercherie. La liberté d'expression sert de prétexte pour reproduire – en véritable campagne de matraquage publicitaire – le discours de la haine par le biais de dessins ouvertement racistes. » L'assimilation entre haine religieuse et haine raciale étant ici totale et la loi Pleven les traitant par ailleurs de manière conjointe, la digue de la liberté ne peut que rompre à partir d'une fêlure qui est d'abord d'ordre idéologique.

À la barre

Le procès de *Charlie Hebdo* s'ouvre le 7 février 2007 devant le tribunal de grande instance de Paris. Sur les douze caricatures publiées dans l'hebdomadaire, deux seulement font l'objet de la plainte : celle qui représente Mahomet arborant un turban s'achevant en bombe explosive et celle représentant Mahomet criant à l'adresse de kamikazes se présentant aux portes du paradis : « Arrêtez, arrêtez, nous n'avons plus de vierges ! » À ces deux dessins, l'accusation ajoute celui figurant en une du numéro incriminé et portraiturant un Prophète dépité. La Ligue islamique mondiale, la Grande Mosquée de Paris et l'UOIF assignent le journal au motif que « ces trois dessins caractériseraient le délit d'injures publiques à l'égard d'un groupe de personnes, en l'occurrence les musulmans, à raison de leur religion, dès lors que la publication litigieuse s'inscrirait dans un plan mûrement réfléchi de provocation visant à heurter la communauté musulmane dans ses croyances les plus profondes, pour des raisons tenant à la fois à une islamophobie caractérisée et à des considérations purement commerciales ». En utilisant ce dernier argument, celui du caractère mercantile, les associations musulmanes inscrivent explicitement leur plainte dans la continuité de la jurisprudence de l'affaire de la Cène.

Parmi les personnalités venues témoigner en faveur de *Charlie Hebdo*, on compte François Bayrou, président de l'UDF, François Hollande, premier secrétaire du parti socialiste ou encore Élisabeth Badinter, intellectuelle et féministe engagée. Des messages de soutien ont été envoyés par Ségolène Royal, candidate PS à la présidentielle, et par Nicolas Sarkozy, ministre de l'Intérieur, prétendant également à l'Élysée mais au nom de l'UMP. C'est la France politique rassemblée qui prend parti en faveur de l'hebdomadaire. Le tribunal est présidé par le juge Jean-Claude Magendie, le même juge qui, quelques années plus tôt, a interdit l'affichage public de la Cène revisitée. Une foule de militants de tous bords et de curieux se presse à toutes les audiences dans un procès que beaucoup veulent historique : « Si *Charlie Hebdo* est condamné, c'est le silence qui s'abattra sur nous », affirme Élisabeth Badinter entre deux audiences.

Les avocats de la défense, Me Georges Kiejman et Me Richard Malka, ainsi que les témoins appelés à la barre soulèvent plusieurs moyens. Pour eux, la couverture de *Charlie Hebdo* vise les islamistes et en aucun cas les musulmans, ni même la religion musulmane. Le directeur de la publication et de la rédaction du journal, Philippe Val, souligne d'ailleurs que la légende « Mahomet débordé par les intégristes » précisément « déborde » sur la caricature afin que le dessin ne puisse pas être diffusé sans cette légende. Il insiste sur le fait que ce numéro spécial n'a d'autre intention que de dénoncer l'« instrumentalisation de l'islam par les terroristes ».

Mais la défense veut aussi aller au fond : il est une violence inhérente à l'islam, déjà perceptible dans son écrit fondateur, le Coran. Appelé à la barre, l'universitaire iranien Mehdi Mozaffari rappelle que le livre saint musulman accorde une place importante au caractère guerrier du Prophète et glorifie les batailles qu'il a livrées. Les caricatures qui portent sur cet aspect, lequel

194

n'est évidemment pas le seul qu'il faille retenir, ne sont donc pas gratuites. Autre témoin, le journaliste Mohamed Sifaoui souligne que l'association entre la violence et le Coran est indéniablement un fait contemporain, qu'elle découle pour l'essentiel de l'intégrisme mais qu'elle a aussi valeur normative comme l'indique entre autres le drapeau de l'Arabie Saoudite, mariant la lame du sabre et la confession de foi.

Ultime point fondamental, quasiment de doctrine, défendre le droit de publier des caricatures ne signifie pas que l'on approuve le contenu de ces caricatures. Cette position est illustrée par le témoignage de François Bayrou : « Je suis croyant, j'ai un attachement pour les religions et si j'avais été directeur d'un de ces journaux, je n'aurais pas publié [ces caricatures]. Mais au-dessus de cela, il y a le pilier central de nos sociétés qui est la liberté d'expression. » Enfin, condamner une idéologie n'a rien à voir avec le fait de condamner des personnes. Durant tout le procès, Philippe Val affirmera que « ces caricatures s'adressent à des idées, elles ne stigmatisent pas des hommes ». Ce que relaiera ainsi François Bayrou : « La loi fait une différence très claire entre la critique des gens et la critique des pensées. »

Sentence

Le jugement du tribunal de grande instance de Paris est rendu le 22 mars 2007. *Charlie Hebdo* est relaxé, les parties civiles et l'ensemble de leurs demandes sont déboutées. Cette victoire juridique est perçue, après un procès retentissant, comme une victoire politique : la liberté d'expression et l'esprit démocratique l'auraient emporté sur les tentations et les dérives communautaristes en les écrasant. La réalité du jugement est quelque peu différente. Dans sa décision, avant même d'évoquer les caricatures, la Cour rappelle que « l'exercice de [la liberté d'expression] comporte, aux termes mêmes de l'article 10 de la Convention européenne de sauvegarde des droits de l'homme et des libertés fondamentales, des devoirs et des responsabilités et peut être soumis à certaines formalités, conditions, restrictions ou sanctions, prévues par la loi, qui constituent des mesures nécessaires dans une société démocratique et qui doivent être proportionnées au but légitime poursuivi ; que le droit à une jouissance paisible de la liberté de religion fait également l'objet d'une consécration par les textes supranationaux ». Puis elle considère, dans une formulation en accord avec l'interprétation faite de la loi par la Cour de cassation qu'« en France, société laïque et pluraliste, le respect de toutes les croyances va de pair avec la liberté de critiquer les religions quelles qu'elles soient et avec celle de représenter des sujets ou objets de vénération religieuse ; que le blasphème qui outrage la divinité ou la religion n'y est pas réprimé, à la différence de l'injure, dès lors qu'elle constitue une attaque personnelle et directe dirigée contre une personne ou un groupe de personnes en raison de leur appartenance religieuse ». Elle admet ensuite que « des restrictions peuvent être apportées à la liberté d'expression si celle-ci se manifeste de façon gratuitement offensante pour autrui, sans contribuer à une quelconque forme de débat public capable de favoriser le progrès dans les affaires du genre humain ». Cette dernière remarque est essentielle même si son application peut se révéler compliquée. La Cour s'y essaie en distinguant la portée de chaque caricature.

Le jugement écarte en effet, rapidement et sans aucune hésitation, les accusations portées contre le dessin de Cabu en couverture et le dessin évoquant la pénurie de vierges, considérant qu'il n'y a pas d'ambiguïté possibles et que les deux caricatures visent les terroristes et non les musulmans. Pour le dessin représentant Mahomet avec une bombe dans son turban, la Cour émet plus de réserves, considérant que « par sa portée, ce dessin apparaît, en soi et pris isolément, de nature à outrager l'ensemble des adeptes de cette foi et à les atteindre dans leur considération en raison de leur obédience, en ce qu'il les assimile – sans distinction ni nuance – à des fidèles d'un enseignement de la violence ». Elle conclut toutefois qu'« il ne saurait être apprécié, au regard de la loi pénale, indépendamment du contexte de sa publication », indiquant que *Charlie Hebdo* a avant tout voulu accomplir un acte de solidarité et de soutien envers les journalistes ayant subi des menaces ou des intimidations pour avoir publié ces caricatures. C'est donc seulement le contexte qui, selon le tribunal, disculpe *Charlie Hebdo* pour ce qui est de cette dernière caricature.

En effet, selon l'attendu, si la décision dans son ensemble est en accord avec les décisions précédentes du tribunal de grande instance de Paris, le juge relève que cette image, en soi et en l'état, dénote l'hypothèse d'une assimilation du sujet représenté aux sujets le représentant. Il ne s'agit pas ici de glisser d'injure faite à l'islam en injure faite aux musulmans. Toutefois, le dessin, en suggérant que le Prophète professe la violence, induit que les musulmans sont favorables à cette violence et susceptibles de passer à l'acte. On perçoit immédiatement l'ambivalence d'une telle affirmation. Cette portion du jugement rouvre la brèche péniblement colmatée : « Ce que je retiens moi, c'est que le tribunal a affirmé clairement que ce type de caricature est susceptible d'être condamné et que, dans un autre contexte, il le serait », déplore Me Szpiner, l'avocat de *Charlie Hebdo*. À tel point que la Grande Mosquée de Paris, satisfaite des avancées qu'elle a obtenues, ne se portera pas partie civile à la cour d'appel aux côtés de l'UOIF. La Ligue islamique ayant été déboutée au motif qu'elle n'a aucune légitimité à se porter partie civile en France, l'Union des organisations islamiques de France (UOIF), seule, interjette appel contre le jugement du tribunal de grande instance. Les mêmes argumentations sont avancées et la cour d'appel requiert, de nouveau, la relaxe.

La confusion communautaire

La victoire de *Charlie Hebdo* ne clôt pas pour autant le chapitre des procès intentés au nom de la protection des sentiments religieux auquel l'hebdomadaire lui-même va être à nouveau confronté. En septembre 2012, trois plaintes sont déposées en deux jours contre la publication de nouvelles caricatures de Mahomet par *Charlie Hebdo*, dont une constituée par l'UOIF qui accuse, cette fois, le journal d'« incitation à la haine raciale ». L'ethnicisation du fait religieux signale la crise qui frappe la compréhension de la laïcité, à l'exacte mesure du malaise que traverse la société française. La métamorphose du délit de blasphème en délit raciste en est un signe éminent.

Que s'est-il passé depuis 2007 ? D'une part, l'édiction de la relaxe de *Charlie Hebdo* est venue conforter le sentiment tourné en argument puis en discours selon lequel il y aurait « deux poids, deux mesures » et devenu dominant dans le milieu de l'activisme musulman. D'autre part, la prononciation de cette relaxe par un juge présumé avoir défendu par ailleurs les intérêts des catholiques est venue justifier là encore le sentiment tourné en argument puis en discours selon lequel la loi protège tout le monde « sauf les musulmans ». Sur le fond, on ne s'étonnera pas que, à manipuler le blasphème, et en raison même de son caractère purement fonctionnel, on finisse par s'exposer à une logique victimaire d'auto-exclusion. Sur la forme, on sera peut-être tenté d'imputer cette jurisprudence au seul juge Jean-Claude Magendie, d'en faire le reproche à ses amitiés et ses inimitiés présumées, de regretter sa sensibilité étendue à l'affect, voire au contraire son interprétation sélective de la loi, mais là, on aura tort.

Incriminer le juge, c'est ignorer qu'il n'est pas le législateur. Or il s'agit ici des effets de la loi Pleven et de rien d'autre. La suite des procès qui en découle éclaire les problèmes insurmontables qu'occasionne une législation qui se veut protectrice des expressions offensantes envers les croyants et qui n'est, dans les faits, guère plus protectrice que les législations des autres pays européens qui continuent de condamner le blasphème. Le cœur de la difficulté réside dans la définition et la compréhension de ce qui peut constituer une offense pour un groupe, puisqu'elle invite les communautés à s'armer les unes contre les autres afin de faire prévaloir leurs droits. En cela, la loi Pleven représente une erreur impardonnable car, en autorisant les associations à porter plainte au nom d'un groupe ou d'une communauté, elle a consacré le règne de l'amalgame.

Lorsque, en 2007, la Ligue islamique mondiale, la Grande Mosquée de Paris et l'Union des organisations islamiques de France (UOIF) portent plainte contre *Charlie Hebdo*, ces associations le font au nom de tous les musulmans de France, sur le modèle, tant décrié par le droit français, de la *class action* à l'américaine. Or de qui parle-t-on lorsque l'on parle des musulmans de France ? Des personnes de culte musulman ou des personnes de culture musulmane ? Des croyants et des pratiquants ou des athées et des agnostiques ? Des natifs ou des convertis ? Des arabophones ou des non-arabophones, pour parler Coran ? Des malékites, des hanafites, des chaféites ou des hanbalites, pour parler jurisprudence ? Des Algériens, des Marocains, des

Turcs, pour parler comme les responsables du Conseil français du culte musulman ? Ou de tous ceux qui ni ne peuvent ni ne veulent se reconnaître dans aucune de ces catégories ?

Lorsque survient l'attentat du 7 janvier 2015, les « musulmans » et assimilés sont les sujets d'une double assignation de nature de bout en bout juridique : ici, dans l'instant, le décret divin édicté par un groupe djihadiste qui prétend ordonner à tous les musulmans du monde de venger l'honneur du Prophète en tuant Charb et ses compagnons ; là, huit ans plus tôt, la plainte humaine exprimée par des associations activistes qui prétendent rassembler tous les musulmans de France pour réparer l'offense adressée au Prophète en faisant condamner *Charlie Hebdo*.

Tel est bien le piège communautaire dans lequel la loi Pleven enferme les individus en rouvrant la possibilité de punir le blasphème dès lors que certains peuvent se porter partie civile au nom de tous. Or la Ve République ordonne précisément, par le fait qu'elle se définit comme « laïque » avant même de se dire « démocratique » dans l'article premier de sa Constitution, que la communauté n'est pas et ne peut jamais être un corps intermédiaire entre l'État et les citoyens. Or la maladresse tragique de la loi Pleven constitue un authentique péché originel : elle modèle toute une batterie de lois postérieures qui n'ont fait qu'accélérer la captation du débat public en entérinant l'exaltation du sentiment communautaire, sur fond de confusion identitaire.

6. SOUS L'AVALANCHE

Une mémoire sans foi, ni loi ?

Réintroduire juridiquement l'incrimination pour blasphème dans les prétoires, consacrer dans la loi la confusion entre offenses racistes et offenses aux croyants, favoriser politiquement la communautarisation du fait religieux, puis l'ethnicisation du communautarisme ainsi édifié : tels sont les torts fondamentaux de la loi Pleven. Mais ce ne sont pas les seuls. En introduisant par là de nouvelles limites à la liberté d'expression, elle a rendu possible la remise en cause de l'esprit de la loi sur la presse de 1881 ayant pour principe la libre circulation de toute opinion, y compris la plus dangereuse. Moins de vingt ans après son vote, la France est ainsi le premier pays à se doter de lois dites « mémorielles », dont le but est de combattre les négationnistes en tous genres qui viendraient contester des vérités historiques douloureuses relatives aux malheurs passés de communautés données.

La première de ces lois est celle du 13 juillet 1990, dite « loi Gayssot », qui introduit dans la loi du 29 juillet 1881 un article 24 *bis* : « Seront punis des peines prévues par le sixième alinéa de l'article 24 ceux qui auront contesté, par un des moyens énoncés à l'article 23, l'existence d'un ou plusieurs crimes contre l'humanité tels qu'ils sont définis par l'article 6 du statut du Tribunal militaire international annexé à l'accord de Londres du 8 août 1945 et qui ont été commis soit par les membres d'une organisation déclarée criminelle en application de l'article 9 dudit statut, soit par une personne reconnue coupable de tels crimes par une juridiction française ou internationale. » Deux remarques s'imposent ici. Tout d'abord, cet article 24 *bis* est intégré à des dispositions visant à lutter contre le racisme : c'est donc en tant que discours raciste que le révisionnisme est condamné puisque, en effet, les défenseurs de la loi argumentent que le révisionnisme n'est qu'un avatar de l'antisémitisme qui représente lui-même un cas particulier de racisme. Ensuite, ce même article ne vise que la contestation des crimes contre l'humanité commis par les nazis, comme le précise le garde des Sceaux Pierre Arpaillange à l'Assemblée nationale lors de la séance du 2 mai 1990 : « Cet amendement tend à préciser le champ d'application de l'incrimination de négation des crimes contre l'humanité dont la création est proposée. Il ne peut s'agir que des crimes contre l'humanité commis par le régime nazi au cours de la Seconde Guerre mondiale, puisque seuls ces crimes sont aujourd'hui intégrés dans le système répressif français. »

Cette loi intervient dans le contexte particulier de la montée des thèses révisionnistes qui se manifeste alors aussi bien à l'extrême droite qu'à l'extrême gauche. La figure emblématique en est Robert Faurisson, agrégé et docteur ès lettres, professeur de l'enseignement secondaire et maître de conférences à l'université Lyon-III. Ses publications, qui nient le génocide des juifs et l'existence des chambres à gaz, lui ont déjà valu deux condamnations en 1981 à la suite de procès intentés par des associations, le MRAP et la LICRA en tête, pour diffamation raciale et incitation à la haine raciale. L'introduction de la loi Gayssot en 1990 donne lieu, dès 1991, à la condamnation de Faurisson pour « contestation de crime contre l'humanité ». Cette même condamnation marque le début d'une série de procès intentés par des associations mais aussi par des particuliers à l'encontre des divers tenants du négationnisme jusqu'aux actions les plus récentes menées contre Dieudonné, Alain Soral et son association Égalité et réconciliation.

Son opportunité et son efficacité admises, l'introduction de la loi Gayssot n'est pourtant pas allée sans susciter un débat national qui, hormis les inévitables détracteurs antisémites, a raisonnablement opposé deux visions de la liberté d'expression et, par conséquence, de l'historiographie. Placés face à l'impératif humain et politique de « rendre justice à la souffrance humaine », nombre d'hommes politiques, journalistes, écrivains et surtout historiens ont objecté l'égale nécessité démocratique de ne taire aucun débat afin précisément de venir à bout des « faussaires » de l'histoire. Ainsi de Simone Veil dans *L'Express* : « Il n'existe pas de loi pour interdire d'affirmer que Jeanne d'Arc n'a pas existé, ou que Verdun n'a pas eu lieu. Si l'on fait une loi, c'est que le débat est ouvert. Ce n'est pas le cas, même si quelques olibrius prétendent le contraire. » Ainsi de Pierre Vidal-Naquet dans *Le Monde* : « J'ai toujours été absolument contre cette loi, avec d'ailleurs la grande majorité des historiens. Elle risque de nous ramener aux vérités d'État et de transformer des zéros intellectuels en martyrs. » Telle est bien l'impasse : l'État peut-il faire religion d'une vérité historique au sens où il l'élève au rang de dogme en la protégeant de toute parole malvenue alors que, dans le même temps, il se targue de ne plus punir le blasphème ? Impasse d'autant plus redoutable que la reconnaissance par la loi de la Shoah en conséquence de la condamnation de sa négation n'a pu qu'entraîner d'autres communautés historiquement victimes dans une course concurrentielle à la reconnaissance de leur propre mémoire blessée.

Pas de liberté pour l'histoire

La France est ainsi devenue maîtresse dans l'extension des lois mémorielles, quitte à ne plus les accompagner d'une pénalisation difficile à mettre en effet. Le 29 janvier 2001 est reconnu le génocide des Arméniens. Cinq ans plus tard, en 2006, l'Assemblée nationale discute une proposition de loi visant à en réprimer les négateurs qui, de surcroît, sont le plus souvent animés par l'État turc. La loi est finalement rejetée, rejet qui laisse un goût amer aux Arméniens de France. Le 21 mai 2001, sous l'instigation de Christiane Taubira dont le texte gardera le nom, la loi reconnaît comme autant de crimes contre l'humanité, d'une part, la traite négrière transatlantique ainsi que la traite dans l'océan Indien et, d'autre part, l'esclavage auquel ont été soumises à partir du XVe siècle, aux Amériques, aux Caraïbes, dans l'océan

Indien et en Europe, les populations africaines, amérindiennes, malgaches et indiennes. Le 23 février 2005, c'est au tour de la loi Mekachera, « portant reconnaissance de la Nation et contribution nationale en faveur des Français rapatriés » d'Afrique du Nord et d'Indochine, de disposer au deuxième alinéa de son article 4 que « les programmes scolaires reconnaissent en particulier le rôle positif de la présence française outre-mer, notamment en Afrique du Nord, et accordent à l'histoire et aux sacrifices des combattants de l'armée française issus de ces territoires la place éminente à laquelle ils ont droit ».

Cette dernière initiative enflamme l'opinion publique, relance le débat sur les lois mémorielles et questionne cette nouvelle sanctuarisation, à tous les sens du mot, de l'histoire. En décembre 2005, Pierre Nora, soutenu par Pierre Vidal-Naquet, Pierre Milza, Michel Winock, René Rémond, Maurice Vaïsse, Paul Veyne, mais aussi Françoise Chandernagor, Élisabeth Badinter, Jacques Julliard ou encore Mona Ozouf, lance dans *Libération* la pétition « Liberté pour l'histoire », qui récolte rapidement plus de six cents signatures et dont l'entrée en matière pourrait servir d'exergue au présent essai : « L'histoire n'est pas une religion. L'historien n'accepte aucun dogme, ne respecte aucun interdit, ne connaît pas de tabous. Il peut être dérangeant. »

Avant de postuler et de décrire en quoi les lois mémorielles représentent une métamorphose métastatique des lois séculières qui prohibent le blasphème, il faut noter que le sexe, autant que la mémoire, a subi cette limitation de la liberté d'expression en envahissant à son tour, afin de l'augmenter, la loi sur la presse de 1881. Le mouvement est initié par la loi du 30 décembre 2004 qui étend la condamnation de la provocation à la discrimination, à la haine et à la violence, ainsi que la diffamation et l'injure « à l'égard d'une personne ou d'un groupe de personnes à raison de leur sexe, de leur orientation sexuelle ou de leur handicap ». Pour s'en justifier, les débats parlementaires invoquent la vocation pédagogique du texte, la nécessité de faire évoluer les mentalités et le concept de « dignité humaine », qui a infiltré tous les domaines du droit sans que personne sache vraiment jusqu'à ce jour le sens qu'il revêt précisément. Cette première loi est suivie par celle du 6 août 2012 qui vise à condamner les mêmes propos offensants à l'égard d'une personne ou d'un groupe de personnes, mais cette fois à raison de leur identité sexuelle. Cette dernière loi marque la complétion de la « cage aux phobes », selon le mot de Philippe Muray, puisque la loi sur la presse de 1881, en plus de réprimer le racisme, condamne désormais aussi bien l'islamophobie, la christianophobie, la judéophobie que l'homophobie, l'handiphobie et la transphobie. Il faut noter que l'effet d'entraînement est tel que la loi du 27 janvier 2014 porte le délai de prescription de tous ces délits de trois mois à un an, comme si, ne pouvant plus agir sur l'extension des fautes, il fallait durcir la procédure permettant de les réprimer.

Interdiction sur ordonnance

Ce sera en effet une question de procédure qui achèvera d'envenimer le débat public relatif aux limites que doit connaître, ou non, la liberté d'expression. L'interdiction du spectacle « Le Mur » de Dieudonné intervient tout juste un an avant les attentats de *Charlie Hebdo*. Depuis une décennie déjà, l'humoriste est dans le collimateur de la justice, multipliant provocations, procès et condamnations. Au début des années 2000, il se rapproche d'Alain Soral, puis, en 2006, du Front national. En 2009, il se présente en tête de liste aux élections européennes en Île-de-France, cette liste ayant été initiée par le Parti antisioniste fondé par Yahia Gouasmi, personnalité chiite sulfureuse du paysage politique français qui se réclame à la fois du Hamas palestinien et du Hezbollah libanais. Dieudonné ne récolte que 1,30 % des suffrages auprès de l'électorat francilien, connaît néanmoins quelques pics notables en Seine-Saint-Denis et dans les Hauts-de-Seine, mais enregistre un véritable succès de masse sur Internet. De là naît la « quenelle » qui enflamme les réseaux sociaux et devient un signe de ralliement pour les franges du complotisme. Si Dieudonné y voit « une sorte de bras d'honneur au système », il confesse également que « l'idée de glisser ma petite quenelle dans le fond du fion du sionisme est un projet qui me reste très cher ». D'aucuns identifient plutôt un salut nazi inversé servant une idéologie antisémite.

En octobre 2013, la cellule de veille de l'Élysée fait parvenir une note à François Hollande sur les vidéos de Dieudonné et leur audience grandissante sur Internet. Courant décembre, France 2 diffuse dans « Complément d'enquête » des extraits tournés en caméra cachée du spectacle « Le Mur », dont la tournée a commencé en juin. Les images sont édifiantes et les propos non équivoques. Dieudonné multiplie les « plaisanteries » antisémites et s'en prend nommément à des personnalités médiatiques au prétexte de leur origine. Il lance ainsi à son auditoire, au sujet du journaliste Patrick Cohen : « Tu vois lui, si le vent tourne, je ne suis pas sûr qu'il ait le temps de faire ses valises. Moi, tu vois, quand je l'entends parler, Patrick Cohen, je me dis, tu vois, les chambres à gaz... Dommage ! » La presse dénonce unanimement un spectacle qui repousse les limites de la provocation. Le Conseil représentatif des institutions juives de France (CRIF) demande au gouvernement d'agir au plus vite afin d'endiguer la diffusion des propos de ce propagateur de haine.

Le 6 janvier, Manuel Valls adresse une circulaire à tous les préfets afin que le spectacle soit interdit partout où il constitue un danger pour l'ordre public. Le 9 janvier, alors que Dieudonné doit se produire à Nantes, l'interdiction prend les dimensions d'une véritable affaire d'État. En début d'après-midi, le tribunal administratif de Nantes annule l'arrêté préfectoral tendant à prohiber le spectacle, jugeant que « le risque de trouble public causé par cette manifestation [ne peut] fonder une mesure aussi radicale que l'interdiction de ce spectacle ». Manuel Valls saisit alors le juge des référés du Conseil d'État qui publie une première ordonnance d'interdiction du spectacle à Nantes.

Tout comme la circulaire du Premier ministre, cette ordonnance du 9 janvier s'appuie sur une double jurisprudence : l'arrêt Benjamin de 1933, qui affirme qu'une manifestation peut être interdite lorsque qu'il existe des risques graves de troubles à l'ordre public et qu'il est impossible de prévenir ces troubles par des mesures de police moins attentatoires à la liberté ; l'arrêt Morsang-sur-Orge de 1995, qui a intégré dans la notion d'ordre public celle de dignité de la personne humaine à l'occasion d'un lancer de nains.

Ces justifications sont, chacune, hautement discutables. À la substitution à la compréhension matérielle de l'ordre public, en termes de tranquillité, salubrité et sécurité, d'une compréhension immatérielle, en termes de dignité humaine, s'ajoute, de manière inédite, la notion de censure préventive qui rompt avec la conception traditionnelle de la liberté d'expression dont les débordements ne doivent jamais être anticipés, mais sanctionnés, le cas échéant, *a posteriori*. Là où pour certains, comme le journaliste François Béguin, le Premier ministre a apporté « une réponse adaptée à une situation extraordinaire », d'autres, comme la juriste Anne-Marie Le Pourhiet, fustigent l'« inadéquation absolue de ces gesticulations juridiques ».

Mais c'est surtout politiquement et publiquement que l'ordonnance marque une rupture fondamentale, dans la mesure où elle hisse le provocateur Dieudonné au rang d'ennemi public numéro un pour certains et de martyr de la liberté pour d'autres, ces derniers accusant le gouvernement de se livrer à une politique de « deux poids, deux mesures », accusation qui sera au centre des polémiques au lendemain des attentats de *Charlie Hebdo*. À croire que l'appareil juridique, au lieu d'apporter la paix civile, contribue au chaos grandissant des mentalités.

Ni sécurité, ni liberté

Le 28 janvier 2015, les images des chaînes de télévision montrant un enfant de huit ans menotté et emmené au commissariat pour « apologie du terrorisme » choquent l'opinion. Cette arrestation fait suite à l'ouverture de quelque soixante-dix procédures similaires. Elles incriminent, dans leur immense majorité, des propos de soutien aux frères Kouachi ou à Amedy Coulibaly postés sur les réseaux sociaux. Des journalistes, politiques et intellectuels de tous bords dénoncent une atteinte grave à la liberté d'expression, celle-là même que le gouvernement a voulu défendre dans l'appel du 11 janvier. Une fois encore, la France se divise.

Il faut revenir ici sur la promulgation, le 13 novembre 2014, de la « loi Cazeneuve » visant à modifier le traitement fait à l'apologie du terrorisme. Cette véritable « loi d'exception » est votée dans un contexte général aggravé, celui du combat contre le terrorisme djihadiste et la radicalisation islamiste sur le sol français. Elle découle de la difficulté aiguë à inculper aussi bien les personnes en processus de radicalisation que les imams autoproclamés qui, par l'intermédiaire d'Internet, recrutent de nouveaux candidats au djihad. C'est alors que, sous l'impulsion du ministre de l'Intérieur, la condamnation de l'apologie du terrorisme est retirée de la loi sur la presse de 1881 et intégrée directement dans le code pénal. La manœuvre a pour but de durcir les procédures, faisant basculer l'apologie du terrorisme de la procédure pénale dérogatoire à la procédure pénale classique. Mais les conséquences de ce basculement dépassent de loin l'intention pratique dont il se justifie.

Premièrement, la loi porte la peine encourue, en cas d'apologie du terrorisme sur Internet, de cinq ans d'emprisonnement et 75 000 euros d'amende à sept ans d'emprisonnement et 100 000 euros d'amende. Deuxièmement, le délai de prescription, qui était déjà passé de trois mois à un an à l'occasion de la loi antiterroriste de 2012, passe cette fois-ci à trois ans. Troisièmement, alors que le blocage d'un site et son déréférencement n'étaient possibles qu'avec l'autorisation du juge civil, la loi donne ce pouvoir au juge administratif. Quatrièmement, alors que le suspect, à l'issue de sa garde à vue, était relâché et recevait ultérieurement une convocation pour comparaître devant le juge afin de pouvoir préparer sa défense, la loi Cazeneuve permet la comparution immédiate, fortement encouragée, au lendemain de l'attentat contre *Charlie Hebdo*, par la circulaire du 12 janvier 2015 de la garde des Sceaux Christiane Taubira. Cinquièmement, pour ce qui est de la détention provisoire du prévenu, la loi encourage cette pratique au point de la rendre systématique.

Ce n'est pas tout. La loi Cazeneuve permet d'appliquer aux cas d'apologie du terrorisme les « techniques spéciales d'enquête ». Aux techniques classiques de recherches de preuves par perquisition au domicile ou cyberinfiltration, elle ajoute la possibilité d'étendre la surveillance du suspect sur l'ensemble du territoire national, de le mettre sur écoute, de placer des micros et des vidéos de surveillance dans les véhicules ou les habitations mais aussi d'installer des logiciels espions sur les ordinateurs de son environnement et, enfin, de mener des opérations d'infiltration sous couverture.

Ce dernier volet caractérise l'esprit de la loi Cazeneuve : il ne s'agit pas d'identifier des personnes au titre d'opinions favorables au terrorisme, mais d'infiltrer des filières djihadistes et de récolter des preuves à charge contre les prétendants au djihad ou leurs recruteurs, afin de tenter de prévenir au maximum l'organisation d'attentats terroristes sur le sol national. Il serait certainement malhonnête d'accuser l'État français de ne pas tout mettre en œuvre pour déceler les menaces terroristes et de s'insurger, dans ce cas, contre de nouvelles limitations de la liberté d'expression, alors qu'il s'agit de prévention du crime. Quitus donc à l'esprit de la loi, mais qui aura été contredit par la pratique.

« *Deux poids, deux mesures* » ?

Les quelque soixante-dix procédures ouvertes pour apologie du terrorisme en janvier 2015 ont visé le plus souvent des jeunes de banlieue qui avaient tweeté au choix « Je suis Kouachi », « Bien fait » ou toute autre formule de ralliement explicite aux terroristes. C'est que, dans l'émotion qui a suivi les attentats de janvier, le discours du gouvernement et la circulaire de Christiane Taubira ont encouragé les juges à appliquer le délit d'apologie du terrorisme, non pas à de véritables prétendants au djihad, mais à de simples provocateurs. Avant la loi Cazeneuve, les procédures engagées auraient pris un temps considérable avant d'aboutir à des condamnations et les prévenus auraient eu le temps d'organiser leur défense. À cause de la loi Cazeneuve, nombre d'entre eux ont écopé de prison ferme.

Le problème ne réside donc pas dans l'idée de la loi, sans doute maladroite mais indiscutablement utile. Le problème tient à la possibilité qu'elle offre de procéder à des condamnations expéditives. Le problème est qu'elle peut se traduire, à un moment aussi compliqué pour une nation que celui déclenché par la violence terroriste, par la purge d'éléments considérés comme récalcitrants, le prix politique d'une telle agitation juridique étant alors d'entraîner une plus grande confusion.

Il faut le dire au risque d'être mal compris : comment faire admettre à des jeunes qui se réclament du Coran, que caricaturer le Prophète est un droit et qu'apporter un soutien verbal aux terroristes est un délit passible de prison ? Entendons-le bien : il n'y a pas lieu de parler de « deux poids, deux mesures ». En ce qui concerne la loi Pleven, le législateur ne condamne aucun blasphème, mais protège des personnes en raison de leur « appartenance » à une religion. Mais, dans les faits, le juge confirme le sentiment des catholiques dans l'affaire de la Cène, mais déboute celui des musulmans dans l'affaire *Charlie Hebdo*. En ce qui concerne la loi Gayssot, le législateur ne condamne pas les opinions dissidentes, mais protège la vérité historique de la Shoah, distincte des vérités révélées des monothéismes, et dont la négation représente une atteinte à la cohésion nationale. Mais, dans les faits, cette loi entraîne une véritable course à la reconnaissance des diverses communautés qui désirent également que leur histoire soit promue au rang de vérité nationale dont la négation serait criminalisée. En ce qui concerne la loi Cazeneuve, le législateur condamne l'apologie du terrorisme en appliquant la procédure pénale classique et bien moins protectrice que la procédure attachée aux autres délits d'expression afin de déceler des menaces terroristes bien réelles. Dans les faits, le même gouvernement qui a défendu sans concession la liberté d'expression des journalistes de *Charlie Hebdo*, a permis la condamnation à de la prison ferme de jeunes paumés dont la provocation verbale est, selon toute vraisemblance, une des seules manières qu'ils ont trouvée pour se sentir exister.

Ainsi, depuis la loi Pleven, la France a décidé de répondre à la surenchère émotionnelle par la surenchère législative et la judiciarisation toujours plus importante de la parole publique. Ainsi, le 23 février 2015, alors que doit se tenir le traditionnel dîner du Conseil représentatif des institutions juives de France (CRIF), son président Roger Cukierman affirme à l'antenne d'Europe 1 que, pour ce qui est de l'antisémitisme, « il faut le dire, toutes les violences, aujourd'hui, sont commises par de jeunes musulmans ». On peut déplorer la maladresse que dénote l'utilisation du terme générique « musulman », mais il n'en reste pas moins que, effectivement, les assassinats antisémites sont en France, à l'aube du XXIe siècle, le fait d'hommes qui se réclament de l'islam au nom de l'islamisme, comme tel est le cas de Mohammed Merah, Mehdi Nemmouche ou encore Amedy Coulibaly.

La phrase reprise par la presse et surtout sur tous les réseaux sociaux finit par tomber dans l'oreille de Dalil Boubakeur, recteur de la Grande Mosquée de Paris et président du Conseil français du culte musulman (CFCM), qui, toujours prêt à la surenchère pour justifier son leadership très contesté, décide de boycotter le dîner organisé par le CRIF, auquel pourtant il était invité. La suite ? François Hollande se rend, comme prévu, au dîner et annonce les mesures, promises en janvier, de son nouveau plan contre le racisme et l'antisémitisme. Devant un parterre de sept cents personnes, il martèle que des « sanctions plus rapides et plus efficaces » vont être prises contre « les propos de haine », de « racisme, d'antisémitisme et d'homophobie » et insiste sur la fait qu'il souhaite que « ces propos ne relèvent plus du droit de la presse mais du droit pénal ».

Stupeur et étonnement ! Tout d'abord, on constate que l'on ne sait plus trop où sont passés les transsexuels et les handicapés, à moins de constater qu'ils ont été broyés par des minorités moins minoritaires et plus bruyantes ou que leur défense ne répond, pour le gouvernement, à aucun impératif électoral visible. Ensuite, et plus sérieusement, on se demande si François Hollande et Manuel Valls ont compris la loi contre l'apologie du terrorisme de Bernard Cazeneuve comme exceptionnelle, parce que répondant à un état d'urgence face à la menace terroriste.

Ici, de deux choses l'une. Soit la loi Cazeneuve a été mal comprise par le gouvernement lui-même, qui, dans un état de confusion extrême, a décidé de se comporter comme un lobby en promettant des mesures ne visant qu'à rassurer des convulsions communautaires. Soit la loi Cazeneuve n'est, en réalité, qu'une prémisse à la pénalisation généralisée de tous les délits de la loi Pleven et, qui sait, la machine allant bon train, de toutes les lois mémorielles. Le résultat, lui, reste le même. Les mesures promises par François Hollande reviendraient, si elles devenaient effectives, à sanctionner la liberté d'expression d'une manière tout à fait inédite.

Le piège de la surenchère

Il est une chausse-trape à laquelle n'échappe aucune des législations qui sont venues limiter la liberté d'expression à la suite de la loi Pleven et il s'agit précisément du communautarisme. La notion même d'atteinte verbale à l'égard d'un « groupe » qui fut alors introduite a pour inévitable pendant procédural non seulement de donner la possibilité à une association défendant les droits d'une communauté quelconque de recourir au juge, mais encore d'accélérer ce mouvement en multipliant ce type d'associations et de recours. Les perspectives dessinées comme autant de promesses par l'Élysée dans le sillage des attentats de janvier 2015 montrent de manière éclatante que ce piège enferme les personnes qui relèvent ou se sentent relever d'une communauté donnée dans une logique de jonction ou de disjonction avec cette appartenance réelle ou supposée, mais aussi que ce piège se referme sur l'État, sommé de répondre aux demandes inflationnistes d'associations qui représentent ou qui pensent représenter ladite communauté et garantir ladite appartenance. Comment un tel débordement législatif peut-il ne pas envenimer les rapports sociaux dès lors que chaque communauté peut se prévaloir des droits accordés à l'autre pour faire valoir les siens ?

Outre qu'elle fut le produit de trois années de discussions parlementaires là où les lois sont désormais passées en force par des élus agissant sous la pression électorale des ligues et coteries, la loi sur la presse de 1881 eut cela d'exceptionnel que les limites à la liberté d'expression n'y étaient envisagées que dans le but de protéger les particuliers. En cela, elle perpétuait la tradition du droit romain sur la punition de l'atteinte à l'honneur d'une personne : quiconque, sous les Césars, se trouvait injurié ou diffamé n'avait qu'à rechercher et à obtenir justice pour considérer que son déshonneur était éteint et son rang restauré. Dans le respect des procédures particulières inhérentes à la loi de 1881, une telle mesure de réparation demeure d'ailleurs possible et efficace en cas de propos racistes ou antisémites ayant visé en particulier un individu. Ainsi de la plainte déposée par la ministre Christiane Taubira contre le journal *Minute* qui l'avait comparée à un singe ou de celle du journaliste Frédéric Haziza contre Alain Soral qui l'avait disqualifié au titre de ses origines juives.

On comprend que si les uns veulent ignorer certaines attaques et préfèrent les combattre par le silence, il est bon que les autres puissent faire reconnaître qu'elles constituent un délit à leur personne. Mais on comprendra aussi que constituer un délit de parole contre un « groupe » relève d'un arbitrage si complexe qu'en mettant ne serait-ce qu'un pied dans la porte, on court à l'effondrement de l'entier édifice. De quels « groupes » la France, qui est l'un des derniers pays européens à refuser la politique des quotas et les statistiques ethniques, peut-elle bien se vouloir la défenderesse ? Comment peut-elle encore arguer qu'elle entend résister à la tentation communautaire et promouvoir le modèle républicain, alors que, dans ses lois, elle donne libre cours aux revendications communautaires sur le terrain, on ne peut plus glissant, de l'expression verbale ?

S'impose ici un rapide crochet sur l'autre rive de l'Atlantique. La Cour suprême des États-Unis, organe central du pays-roi, s'il en est, du communautarisme, de la bien-pensance et du politiquement correct, a adopté une position radicalement différente des législations françaises et européennes en matière de liberté d'expression. Ayant encore en mémoire les restrictions drastiques de la « théomonarchie » britannique où le délit d'opinion était puni avec une violence extraordinaire, les Pères fondateurs de l'Amérique ont retenu une vision extensive de la liberté d'expression, dans l'idée même qu'il ne saurait y avoir d'autre fondement à toute véritable démocratie. Ainsi, à rebours du choix opéré par la France révolutionnaire de déclarer la liberté d'expression sans restrictions autres que les limites imposées par la loi, le Premier Amendement de la Constitution des États-Unis, ratifié en 1791, dispose que « le Congrès ne fera aucune loi [...] pour limiter la liberté d'expression et de la presse ».

Les justifications dont est paré le Premier Amendement sont nombreuses. Parmi elles, deux sont plus particulièrement à la source de la vision américaine de la liberté d'expression : la théorie du « marché des idées » arguë que l'absence de limite fait que les bonnes idées doivent pouvoir être éprouvées, et les mauvaises, réfutées ; la théorie de l'« auto-accomplissement individuel » soutient que le citoyen doit pouvoir explorer les opinions, même les plus dangereuses, afin de se constituer en individu autonome et capable de sens critique. Bien que la société civile administre d'elle-même une certaine police du langage, l'État n'a posé des limites à la liberté d'expression que dans de très rares cas. Cette vision au sens propre libérale a été confirmée au fil des années par la jurisprudence et, singulièrement, en matière blasphématoire.

Après le crochet dans l'espace, le saut dans le temps : c'est dès 1952 que la Cour suprême a rendu le célèbre arrêt Joseph Burstyn, Inc. v. Wilson, lequel a réglé une fois pour toutes à la fois la question du blasphème et des pressions communautaires. En voici le contexte, plutôt simple : Joseph Burstyn est le distributeur du court-métrage *Le Miracle*, réalisé par Roberto Rossellini en 1948. Le film raconte la rencontre entre une paysanne naïve, Nannina, incarnée par Anna Magnani, et un vagabond, joué par Federico Fellini, qu'elle pense être saint Joseph. Ce dernier la fait boire et abuse d'elle. Nannina tombe enceinte et devient la cible d'humiliations au sein de son village. Elle s'enfuit alors pour vivre seule dans la montagne, persuadée que l'enfant qu'elle porte est divin. Le film est l'objet de nombreuses critiques, avant même son arrivée aux États-Unis. Autorisé dans un premier temps, il est finalement censuré en février 1951 par le Board of Regents de l'État de New York, en charge des services d'éducation, au motif qu'il représente un « sacrilège ». Joseph Burstyn saisit alors la cour d'appel, qui confirme la condamnation, puis la Cour suprême de New York, qui fait de même. L'affaire arrive alors devant la Cour suprême des États-Unis, qui rend un arrêt dont la conclusion est la suivante : « En cherchant à appliquer la définition générale et englobante du terme "sacrilège" donnée par les tribunaux de New York, le juge arbitral et censeur dérive sur une mer illimitée au milieu d'une myriade de courants de conceptions religieuses différentes, sans aucun point de repère sauf ceux qui sont fournis par les orthodoxies les plus turbulentes et les plus puissantes. Sur de telles bases, le juge arbitral et censeur le plus prudent et le plus tolérant qui puisse être se trouverait quasiment dans l'impossibilité d'éviter de favoriser une religion par rapport à une autre, et il serait inévitablement sujet à bannir l'expression de sentiments mal perçus. L'application du test de l'élément "sacrilège" pourrait soulever des questions essentielles quant à la garantie du Premier Amendement, qui assure la séparation de l'Église et de l'État, ainsi qu'à la liberté de culte pour tous. Cependant, du point de vue de la liberté d'expression et de la presse, il est suffisant de noter que l'État n'a pas d'intérêt légitime suffisant à protéger une des religions, ou toutes les religions, de conceptions qui leur seraient déplaisantes, pour justifier une censure préalable de l'expression de ces conceptions ; ce n'est pas la tâche de l'État, dans notre Nation, de censurer les attaques réelles ou imaginaires contre une doctrine religieuse particulière, qu'elles apparaissent dans des publications, dans des discours ou dans des films. »

La Cour suprême des États-Unis ne tente pas de trier parmi les propos blasphématoires, elle adopte une position de principe en établissant, il faut le souligner, que « ce n'est pas la tâche de l'État de censurer les attaques réelles ou imaginaires contre une doctrine religieuse particulière ». Le raisonnement est simple. Si la Cour se met à condamner des ouvrages ou des propos au titre qu'ils sont « sacrilèges », le juge serait inévitablement réduit à censurer ce qui constitue une offense, et ce en faveur des « orthodoxies les plus turbulentes et les plus puissantes », créant ainsi des discriminations de fait. La Cour décide donc que ces questions ne la regardent pas et se prémunit ainsi des réseaux d'influence et de pouvoir qui pourraient se sentir offensés par telle ou autre parole malveillante.

Cette jurisprudence concernant le blasphème n'est pas isolée. Elle est représentative d'une conception plus globale de la liberté d'expression, puisque la Cour suprême refuse tout autant de condamner les propos liés au racisme, à l'antisémitisme ou au négationnisme. Elle défend en fait de manière intransigeante la logique libérale selon laquelle même les ennemis de la liberté ont le droit à la liberté de l'exprimer. Pour autant, moins que de se vouloir théorique, cette position est d'abord d'ordre pratique. Elle repose sur l'idée que l'offense verbale est toujours inquantifiable et sujette à interprétation ainsi que sur la conviction que l'État ne doit jouer aucun rôle d'arbitre sur ces questions, car il se rendrait coupable, volontairement ou involontairement, de discriminations.

Comment comprendre qu'un pays aussi communautariste que les États-Unis, dans lequel l'appartenance à la communauté ethnique, culturelle ou religieuse est une part irréductible de l'identité, n'ait jamais consenti à une quelconque limitation de la liberté d'expression, à moins de se rendre à l'évidence que la dimension communautaire elle-même les prévenait d'un tel aggravement que la France, au contraire, n'a pas su voir venir pour des raisons similaires quoique inverses de constitution et dont elle souffre désormais à la mesure de son impréparation et de son imprévoyance ?

Nous faudrait-il décider alors d'abandonner les orientations prises depuis la loi Pleven ? Mais qui sera celui qui portera au Parlement le projet de loi visant à abolir la loi sur la provocation à la haine, à la discrimination ou à la violence en raison de l'appartenance raciale, ethnique ou religieuse ? Celui qui portera au Parlement le projet de loi visant à abolir la loi sur le négationnisme ? Le projet de loi visant à abolir les lois mémorielles ou les lois protégeant les homosexuels, les transsexuels et les handicapés d'offenses verbales ? Quel serait d'ailleurs le message politique qu'enverrait à la nation un tel Parlement, prêt à abolir tant de lois ? Quelle serait d'ailleurs la réception qu'en ferait le peuple et y verrait-il non pas un permis de donner libre cours aux discours les plus haineux, mais un pari pour retisser des liens oubliés entre des citoyens bien réels et non plus des communautés imaginaires ? Ces lois-là, personne ne pourra les défaire. Le piège s'est déjà refermé.

Pour un demain sans angélisme

Qu'en est-il au fond de cette liberté d'expression si fondamentale que quatre millions de Français ont défilé le 11 janvier 2015 pour dire qu'aucun geste meurtrier ne pouvait l'abattre ? De cette liberté d'expression si inaliénable que l'ensemble de la classe politique, le gouvernement comme les diverses oppositions, ont juré qu'elle ne serait pas oblitérée par les nécessités de la sécurité ? De cette même liberté d'expression dont nous savons que des *talks* de plateaux télé aux conversations de bistrot qui de plus en plus se ressemblent, elle connaît toujours plus de restrictions au nom d'une bien-pensance qui est d'abord une mise à l'écart de la « mauvaise-jactance », tant l'on n'échappe pas, si affranchi que l'on se rêve, à la fonctionnalité primaire du blasphème qui permet, plus encore que de dire le Bien et le Mal, de départager les bons et les méchants ?

L'État doit-il permettre tous les types de discours, même ceux qui « heurtent, choquent ou inquiètent » car il revient à la société française d'en poser les limites ? L'État doit-il réguler les propos échangés sur la place publique car les Français sont incapables de civisme ? Voltaire pourrait-il encore déclarer aujourd'hui que notre pays ne prive pas de liberté les ennemis de la liberté ? La défiance, et non pas la confiance, peut-elle présider au fait de constituer une nation qui se veut une République ? Et nous faudra-t-il tolérer, au nom de la tolérance, une police du langage ? Ces questions ne sont pas que françaises, elles sont aussi planétaires et elles devraient occuper la France non pas en conséquence d'un frileux provincialisme hexagonal mais au regard de la mission d'universalité à laquelle il lui faut inlassablement prétendre.

Depuis bientôt un demi-siècle, le retour du blasphème a accompagné le retour du religieux, accentuant ainsi la division entre le Nord et le Sud autour de la ligne de fracture des droits de l'homme, provoquant de part et d'autre un activisme contestataire et judiciaire sans précédent et s'affirmant de la sorte comme un prisme essentiel des instrumentalisations idéologiques, des confusions sociétales et des atermoiements politiques qui découlent d'une mondialisation où l'affrontement l'emporte sur le métissage. Au Nord, la suppression du délit de blasphème s'est sécularisée, devenant un symptôme patent du douloureux passage de l'ancien monde, dominé par l'hétéronomie, au nouveau monde, avide d'autonomie. Au Sud, la punition du blasphème comme délit s'est globalisée, devenant un levier politique redoutable parce que institutionnel et banalisé de la répression des minorités à l'échelle nationale et de l'affirmation du choc des civilisations à l'échelle internationale. Le lien du blasphème à la modernité s'est ainsi évanoui au regard sans se dissoudre dans la réalité, demeurant de la sorte suspendu à l'indétermination d'une histoire qui, désormais dépourvue de sens, s'accomplirait dans la répétition infinie d'elle-même.

Si le blasphème, concept théologico-politique dès ses origines, n'a subi aucune altération dans sa fonctionnalité qui est d'exclure celui qui vient contester une vérité partagée par tous, il n'a pas pu échapper, tout comme le phénomène religieux, au mouvement irrésistible de la modernité, à son empire et à son emprise. Pour y survivre, il s'est modifié. Laïcisé, il s'est aussi sécularisé. Ce faisant, régnant déjà sur l'espace des autocraties, il a envahi l'espace démocratique sous prétexte de le garantir. Aussi la question de savoir si le regain du blasphème escorte le retour du religieux, sans que l'on sache s'il en serait l'avant-garde ou s'il en sonnerait le glas, paraît-elle oiseuse. La notion de blasphème a cela d'universel mais aussi d'intemporel qu'elle définit non seulement ce qu'il est interdit de dire, mais de plus ce qu'il est dérangeant de penser.

Limiter la liberté d'expression au nom de la liberté de sentiment se heurte au principe sacralisé du pluralisme qui aboutit à faire de l'intolérance un crime et induit la sacralisation des droits de l'homme qui aboutit à faire de leurs détracteurs des martyrs. Pour le dire avec Régis Debray, il ressort indécidable d'attribuer à la seule vertu de civilité la puissance d'une sacralité suffisante à fonder une société qui aurait par ailleurs perdu toute représentation transcendante d'elle-même. D'autant plus que l'on ne pénalise pas l'erreur, on la combat.

C'est pour cette raison qu'au lendemain des attentats qui ont touché *Charlie Hebdo* le vacarme du monde l'a emporté sur le silence du deuil. S'il serait fou de croire que la liberté d'expression peut être totale, il n'est pas moins insensé de penser que la judiciarisation à la fois pressante et erratique de la parole qui est en cours n'implique pas une police du langage d'un tout nouveau genre ou, plutôt, de milices et patrouilles du propos impie.

C'est un grand malheur que nous ne sachions plus que la protection systématique des sentiments des uns et des autres est l'assurance de la guerre de tous contre tous.

REMERCIEMENTS

Que Manuel Carcassonne soit ici vivement remercié de m'avoir accueillie chez Stock et Alice d'Andigné de m'avoir accompagnée.

Ma gratitude va naturellement à Jean-Marie Donegani, patron de mes recherches, pour son soutien, Astrid von Busekist, pour sa confiance, Anne-Marie Le Pourhiet et Philippe Portier pour leur impulsion, Jeanne Favret-Saada et Guy Haarscher pour la lecture inspirante de leurs travaux.

Je l'adresse également à Denis Ramond et Ulysse Korolitski pour la sodalité de leurs proches recherches.

Je la dois enfin à Alexis Bozio-Gladiline, Camille Ada Charvet, Arthur Chevallier, Thaïssia Colosimo, Charles Consigny, Vincent Danon, David Djaiz, Veronika Dorman, Thomas Jeanneney, MFL, David Navaro, Benjamin Olivennes et Barbara Saden, pour leur déchiffrage toujours bienveillant.

Quant à mon père et ma mère, je les remercie de m'avoir donné le goût du courage et de la liberté.

Étant entendu que j'aurai seule à rendre compte de la plus infime trace blasphématoire ou autre erreur plus considérable que pourrait contenir cet ouvrage.

Cet ouvrage a été composé
par PCA à Rezé (Loire-Atlantique)
et achevé d'imprimer en France
par CPI Bussière
à Saint-Amand-Montrond (Cher)
pour le compte des Éditions Stock
31, rue de Fleurus, 75006 Paris
en janvier 2016

Imprimé en France

Dépôt légal : janvier 2016
N° d'édition : 02 – N° d'impression : 2020589
19-07-8710/4